Merel van Groningen

En plotseling ben je van hem

Eerste druk maart 2008
Elfde druk januari 2012

ISBN 978-90-225-6167-6
NUR 285

Omslagontwerp: DPS design & prepress services, Amsterdam
Omslagbeeld: Thinkstock Digital Vision / imago, HR Schulz
Zetwerk: CeevanWee, Amsterdam

Toen er in de media steeds vaker werd gesproken over de zogenoemde loverboys, besloot ik mijn verhaal naar buiten te brengen. Zo'n beslissing neem je niet makkelijk.

Als je eenmaal in het web van een loverboy gevangenzit, zie je zelf geen uitweg meer. Je denkt dat je er alleen voor staat en bent ontzettend bang. Met mijn verhaal hoop ik meisjes te kunnen waarschuwen. Natuurlijk gaat niet elke loverboy op dezelfde wijze te werk. Maar er zijn veel overeenkomsten. Ze leggen je in de watten, ze geven je een goed gevoel, en beginnen je dan ineens te bedreigen. Ze maken je zo bang dat je volkomen in hun macht bent.

In de media merk ik dat er onbegrip is voor de slachtoffers. 'Je laat je toch niet achter het raam zetten!' heb ik menigmaal gehoord. Ze moesten eens weten wat angst en schaamte met je doen.

Dankzij de inzet van mijn moeder en de hulp van de kinderrechter heb ik kunnen ontsnappen uit het web. Zo veel mensen, onder wie mijn moeder, hebben me gewaarschuwd, maar het overweldigend goede gevoel dat ik kreeg was sterker en won het van mijn verstand.

Nu moet ik leven met de littekens.

DEEL EEN

Voor het eerst sinds we vriendinnen waren, gingen Anne en ik na schooltijd niet naar de paarden. We zouden naar iemand toe gaan die vier honden had. Vier onwijs gave honden, zei Anne.

Het was ongeveer vijftien minuten fietsen vanuit school. Anne praatte honderduit over de honden, twee grote en twee puppy's. De jongen van wie ze waren had niet zo veel tijd om ze uit te laten, maar de honden hadden wel veel beweging nodig. Wat raar, dacht ik, vier honden en dan geen tijd hebben om ze uit te laten.

'Merel, je mag het aan niemand doorvertellen, hoor,' ratelde Anne intussen verder, 'maar eigenlijk ben ik een beetje verliefd op die jongen.'

'Oké,' antwoordde ik, 'maar waarom doe je daar zo geheimzinnig over?'

Plotseling was het stil. Anne keek voor zich uit en zweeg.

'Anne, nu moet je ook de rest van het verhaal vertellen,' zei ik. Even keek ze naar me alsof ze zich schaamde en ze lachte verontschuldigend, maar ze bleef zwijgen.

'Oké, dan vertel je het niet!'

Het laatste eindje fietsten we in stilte, allebei verzonken in onze eigen gedachten. Ik brandde van nieuwsgierigheid, maar vond dat ze het zelf moest vertellen.

Toen we aankwamen in een klein straatje zei ze: 'Hier is het.' Ze stapte van haar fiets af. Ik volgde haar voorbeeld en ging naast onze fietsen staan. 'Als straks een vrouw of een kindje opendoet, moet je niet schrikken,' zei Anne zachtjes.

'Hoezo, een vrouw of een kind?' vroeg ik verbaasd.

Anne bloosde en keek de andere kant op.

'Anne! Doe nou normaal, nu moet je het me vertellen.' Ik kon me niet meer inhouden en mijn nieuwsgierigheid won het van mijn geduld.

'Oké,' antwoordde ze, 'maar je mag het tegen niemand zeggen, ook niet tegen hem.'

'Wat dan?' vroeg ik ongeduldig. 'Dat je verliefd bent op hem? Daar is toch niks mis mee? Anne! Je verzwijgt iets voor me en nu wil ik het weten ook!'

We legden onze fietsen neer en gingen op het gras zitten. Niet dat het nou zulk lekker weer was – het was tenslotte net april – maar Anne zou nu haar geheim vertellen, over de jongen en de vier honden. Dezelfde jongen die mijn leven binnen een half jaar kapot zou maken. Niet alleen mijn eigen leven, maar ook het leven van een moeder met een vijftienjarige dochter. Mijn moeder.

'Morgen kom je eerst uit school je agenda laten zien!' zei mijn stiefvader.

'Ja-ha!' snauwde ik, 'jullie ook altijd met dat gezeur, doe niet zo kinderachtig.'

'Je hebt het er zelf naar gemaakt, we hadden een afspraak,' riep hij me na toen ik de deur van mijn kamer achter me dichtgooide.

Ja, die afspraak, die was nog kinderachtiger dan alle stomme regels in huis. Na school moest ik meteen naar huis om mijn agenda te laten controleren met daarin het huiswerk voor de volgende dag, ondertekend door mijn mentor. Pas als ik mijn huiswerk af had, mocht ik nog even naar Anne. Maar alleen als ik geluk had, want om zes uur moest ik weer thuis zijn. Als ik om zes uur niet thuis was, mocht ik na het eten niet meer naar buiten. Wat een regels, ik was toch verdorie al vijftien en geen kind meer!

'Begin nu maar aan je huiswerk voor morgen,' zei mijn stiefvader nog door de dichte deur. Ik wist dat het geen zin had om ertegen in te gaan. Ik zou vanaf morgen gewoon huiswerk in mijn agenda zetten van de vorige week, en ondertekenen met een nagemaakte handtekening van mijn mentor, bedacht ik. Alsof school trouwens zo veel zin had.

Ik zou toch blijven zitten. Ik kon beter mijn tijd aan leukere dingen besteden.

Ik zette een plaat van Michael Jackson op, plofte op mijn bed en dacht aan Anne. De volgende dag, nadat ik mijn agenda thuis zou laten controleren, zou ik eindelijk de honden en die jongen ontmoeten op wie Anne verliefd was geworden. Nadat Anne haar geheim had onthuld, was er geen tijd meer geweest om naar die jongen te gaan, omdat ik om zes uur thuis moest zijn. En uiteindelijk kwam ik pas om kwart over zes thuis, met als gevolg dat ik de hele avond op mijn bed moest blijven hangen. Mijn moeder zei altijd dat ze ongerust was als ik later thuiskwam. Waar ze zich druk om maakte. Het was maar een kwartiertje!

Eigenlijk, nu ik nadacht over de situatie thuis, kwam ik tot de conclusie dat het helemaal niet gezellig was. Toen mijn stiefvader twee jaar daarvoor in huis was gekomen, nadat mijn ouders waren gescheiden, had hij allemaal kinderachtige regels bedacht waar ik me aan moest houden. Gek werd ik ervan. Toen mijn ouders nog bij elkaar waren, werd er nooit moeilijk gedaan. Nu werd ik gek van al die regels. Tja, en aan mijn vader had ik tegenwoordig ook niks meer. Die had het veel te druk met zijn nieuwe vrouw en kindje. Ik had wel bij hem gewoond, eventjes, tot hij een nieuwe vriendin kreeg. Toen kreeg ik ineens slaappillen 's avonds, zodat hij zeker wist dat ze niet gestoord zouden worden. Hij liep alleen maar te snauwen en te katten, dus daar kon ik niet blijven. Ik ging toen toch maar terug naar mijn moeder en broertje, ook al was mijn stiefvader intussen bij hen ingetrokken. Sindsdien had ik helemaal geen contact meer met mijn vader gehad. Hij vond zijn nieuwe gezin zeker leuker.

De enige plekken waar het lekker rustig was, was op mijn kamer met mijn muziek hard aan, en bij de paarden, waar ik na school vaak met Anne heen ging. Maar de volgende dag zou een heel andere dag worden.

Nu ik Annes geheim wist, moest ik toegeven dat het geen makkelijke verliefdheid was. Het probleem was dat die jongen al zesentwintig was. Dat was maar liefst elf jaar ouder dan wij. Hij had nog jonge kinderen, was gescheiden van zijn vrouw en woonde samen met zijn vriendin Karin. Dat hij vader was, vond Anne niet zo'n probleem, maar dat hij samenwoonde... dat was dus wel een bezwaar.

'Karin zit in de verpleging,' had Anne verteld, 'dus als ze avonddienst heeft, nodigt Mike ons wel uit om binnen te komen. Als ze thuis is, geeft Mike meestal gewoon de honden mee en blijven we buiten staan.'

Het werd me nu allemaal een beetje duidelijker. Anne, Anne, dacht ik. Waarom moet je nou juist verliefd worden op een jongen die elf jaar ouder is dan jij, een gescheiden vader bovendien? Nou ja, ik zal wel zien wat voor honden we gaan uitlaten morgen. En, nog belangrijker, hoe Mike eruitziet. Met die gedachte viel ik in slaap.

Na een kort dagje op school liep ik om tien over twee het fietsenhok in om mijn fiets te pakken. Anne wachtte me op.

'Ga je vanmiddag nog mee naar Mike?'

'Tuurlijk, ik wil die jongen nu wel eens zien. Ga je dan eerst even mee naar mijn huis om mijn agenda te laten zien aan mijn moeder?' antwoordde ik. 'Je weet wat de regels bij mij thuis zijn.'

'Oké,' zei ze, 'hoe laat moet je dan ook alweer thuis zijn?'

'Om zes uur moet ik eten, dus ook thuis zijn.'

'Mooi,' zei Anne lachend, 'dan hebben we de hele middag de tijd om met de honden naar het park te gaan. Als Karin aan het werk is, kunnen we ook nog even met Mike wat drinken.'

'Oké, dan gaan we nu naar mijn moeder. Daarna gaan we meteen door naar jouw Mike,' zei ik.

Gelukkig trapte mijn moeder in de vervalste handtekening in mijn agenda. Het huiswerk voor de volgende dag had ik al gedaan, dus waren we al snel bij Mikes huis. We belden aan en vol spanning wachtten we af wie er open zou doen, Mike of Karin.

De deur ging open en er verscheen een Grote Jongen in

de deuropening. Ik schatte hem op een meter of twee, misschien iets minder. Zijn gespierde, brede bovenlijf tekende goed af in het strakke T-shirt dat hij aanhad boven een spijkerbroek. Op zijn armen stonden verschillende tatoeages. Eigenlijk te veel om een idee te krijgen van wat er nou allemaal op stond. Zijn gezicht was vrolijk, maar niet bijzonder. Hij had gewoon blond haar en een klein snorretje. In zijn mondhoek zat een sigaret geklemd.

De sigaret verschoof naar zijn tanden en een zware stem zei: 'Hallo, dames. Komen jullie voor de honden of voor mij?'

Anne giechelde een beetje nerveus, terwijl ik niet goed wist waar ik kijken moest. Ik voelde hoe Mike mij van top tot teen opnam. Wat moest hij van mij? Het leek wel alsof ik gekeurd werd. Nou ja, als ik dan maar goedgekeurd werd, dacht ik stoer, want eigenlijk voelde ik me best wel gevleid.

'We komen voor de honden,' zei Anne.

Mike liep naar achteren en kwam terug met vier honden aan de lijn.

'Jeetje, weet je wel zeker dat dat lukt, Anne? Straks trekken ze me omver en word ik over de grond meegesleurd,' zei ik.

'Nou, dat komt goed uit,' zei Mike, 'Karin gaat zo naar haar werk, dan verzorg ik je kapotte knieën wel.'

Ik wist even niets te zeggen. Was dit nou een grapje? Een beetje van mijn stuk gebracht liep ik met Anne mee naar het park.

'En, wat vond je nou van hem?' vroeg Anne onderweg naar het park.

'Wil je een eerlijk antwoord?'

'Natuurlijk! Laten we even op een bankje gaan zitten.'

Ik liep achter Anne aan en liet me naast haar op het bankje vallen. De honden liepen los en brachten om beurten een stok naar ons terug. Ik gooide een stok zo ver mogelijk weg en een van de honden rende erachteraan.

'Hij lijkt mij een beetje tuig,' zei ik voorzichtig. Anne vertrok geen spier en keek recht voor zich uit.

'Alleen omdat hij tattoos heeft zeker?' zei ze.

'Niet waar. Er is gewoon iets met zijn uitstraling, zijn opmerkingen. Er klopt iets niet, Anne. Het is net of hij blij is dat zijn vriendin gaat werken zodat hij een beetje kan sjansen met een paar meiden die dan ook nog eens toevallig zijn honden uitlaten. Ik weet niet wat, maar er is iets. Waarom is hij eigenlijk gescheiden van zijn vrouw, weet je dat? En waarom wonen de kinderen bij hun vader en niet bij hun moeder? Vind je dat niet raar dan?'

Anne was even stil. Ze leek na te denken over wat ik gezegd had. Toen keek ze me aan. 'Over zijn vrouw doen de wildste verhalen de ronde. Je moet er maar niet over beginnen tegen Mike, want dan wordt hij erg boos, heb ik begrepen,' zei ze.

'Wat voor verhalen dan? Vertel eens, nu word ik nieuwsgierig,' zei ik opgewonden. Want eigenlijk vond ik die Mike wel heel spannend. Ik vond het gewoon een spannend avontuur.

'Ze is gewoon niet te vertrouwen. En ze gaat met iedereen naar bed,' zei Anne opeens.

Dat liet ik even op me inwerken. Die Anne, die was niet op zomaar iemand verliefd geworden! Deze jongen was wel heel anders dan iedereen die ik kende.

De volgende weken gingen Anne en ik meteen na school naar Mike. Soms lieten we de honden uit en soms gingen we gewoon voor de gezelligheid wat drinken, maar alleen als Karin moest werken. Heel af en toe was Karin thuis. Dan deed zij open en gaf ons de honden mee. Ze zei vaak hoe blij ze was dat wij zoveel met de honden deden. Het was voor haar erg druk met drie kleine kinderen en een zware baan in de verpleging.

Eigenlijk vond ik Karin best aardig. Alleen als ze uit haar werk kwam, was ze meestal geïrriteerd. Ze mopperde dan tegen Mike: 'Zitten die meiden alweer hier, zeker wel erg gezellig als ik er niet ben.' En dan deed ze net of we er niet waren. Eigenlijk wel te begrijpen, vond ik, want Mike zat alleen maar een beetje te dollen terwijl Karin zich meteen ontfermde over de kinderen. Mike keek niet naar ze om.

Terwijl ik het met een hoop dingen niet eens was, wekte Mike ook een heleboel nieuwsgierigheid bij me op. 'Als je het thuis niet meer kunt uithouden, kun je altijd een beroep op mij doen, ik zal je altijd proberen te helpen,' zei hij vaak tegen me. Die woorden raakten me wel. Zo'n stoere jongen die mij wilde beschermen; dat had wel iets, vond ik.

De situatie werd niet beter thuis en er waren steeds

meer ruzies. Zo gebeurde het vaak dat ik thuis kwaad weg-
liep en uithuilde bij Mike, zonder dat Anne het wist. Ik had
het gevoel dat iemand me eindelijk begreep, en dat idee
troostte me. Als Karin thuiskwam bracht Mike me weer
naar huis, want hij vond dat mijn moeder niet lang in angst
moest zitten en moest weten waar ik was. Ik kreeg altijd
een zoen op mijn wang bij het afscheid. Daarna kostte het
me minder moeite om de ruzie met mijn moeder weer bij te
leggen.

'Ben je niet verliefd op Mike aan het worden?' vroeg Anne me na verloop van tijd. Ik verzekerde haar dat dat niet
het geval was. Het was wel zo dat het huis van Mike een
beetje mijn veilige haven was geworden. Gelukkig begreep
Anne dat. Op school keken we samen de klok vooruit, om
zou gauw mogelijk naar Mike te kunnen. Dan was het de
vraag: was Karin thuis en gingen we met de honden weg, of
was ze aan het werk, en gingen we gezellig met Mike lol
maken?

Dat ging een paar weken zo door, tot er irritaties tussen Anne en mij kwamen. Toen we op een dag naar Mike fietsten, vertelde ze opeens dat ze van haar moeder niet meer na school met mij naar Mike mocht gaan.

'Heb je haar verteld dat je verliefd op hem bent?' vroeg ik.

'Nee,' zei ze verdedigend, 'als ze daarachter komt mag ik niet eens meer de deur uit. Ik heb verteld dat we de honden uitlaten en dat jij hem wel erg leuk vindt.'

Boos keek ik haar aan. 'Hoe kun je dat nou zeggen! Ik ben helemaal niet verliefd op hem en als mijn moeder dit verhaal te horen krijgt, mag ik ook niet meer bij Mike komen. Dit vind ik echt niet leuk, hoor!' De tranen prikten achter mijn ogen. Hoe kon ze dit nou doen? Ze schoof gewoon de schuld op mij!

'Waarom wil je moeder eigenlijk dat je niet meer naar hem toe gaat?' vroeg ik nu nog bozer.

'Ze heeft gehoord dat hij een criminele achtergrond heeft, en nu vindt ze dat ik jou daarvoor moet waarschuwen,' antwoordde ze.

Verbaasd keek ik haar aan. 'Waarschuwen? Waarvoor? Jij hebt mij hiernaartoe gebracht, dus nu vertel je je moeder maar mooi de waarheid. Je zorgt er maar voor dat mijn moeder niet de verkeerde informatie krijgt van jouw moeder, want anders vertel ik precies hoe de situatie in elkaar steekt, Anne!' Ik reed kwaad naar huis.

'Jij bent vroeg thuis,' zei mijn moeder. 'Is er niemand van je vrienden thuis?'

'Jawel, maar ik heb nog een hoop huiswerk te doen deze week,' loog ik. Ik ging naar mijn kamer. Op bed nam ik me voor om nooit meer met Anne om te gaan. Dit noemde ik geen vriendschap. Alles moest ik voor me houden en nu luisde ze me erin. Dat nam ik haar echt kwalijk.

Er werd op mijn deur geklopt. 'Anne voor je aan de telefoon,' zei mijn moeder.

In de woonkamer pakte ik de hoorn op en zei, nog altijd met boosheid in mijn stem: 'Ja?'

'Hoi, met Anne,' klonk het door de telefoon. 'Ben je nog erg boos?'

Ik gaf geen antwoord.

'Ik heb mijn moeder uitgelegd dat ik verliefd was op Mike, maar dat dat nu over is. Ik heb beloofd dat ik er niet meer naartoe zal gaan.'

'O,' antwoordde ik verbaasd, 'en is dat ook zo?'

'Nee, joh,' klonk het aan de andere kant van de lijn. 'We gaan gewoon stiekem.'

'Ik vind het best, als je mij maar niet in jouw problemen betrekt,' zei ik nonchalant.

'Zie ik je morgen weer?' vroeg Anne.

'Ja, ik zie je morgen weer op school.'

'Tot dan,' zei Anne en we beëindigden het telefoongesprek. Ik ging terug naar mijn kamer en ging verder met mijn huiswerk voor de rest van de week, dan was ik er mooi vanaf. Dan hoefde ik alleen nog maar mijn agenda van een valse handtekening te voorzien.

Het was een mooie zonnige dag. Normaal gesproken verliep elke dag zo'n beetje hetzelfde, maar deze dag was speciaal. Mike had ons uitgenodigd om te gaan zwemmen in de vaart, samen met al zijn vrienden. Anne en ik fietsten zo hard we konden naar huis om onze zwemspullen te pakken. Daarna gingen we naar Mike, om van daaruit naar de vaart te gaan.

Om half twee belden we bij Mike aan. Er werd niet opengedaan. Ongerust over ons zwemavontuur vroegen we ons af waar Mike gebleven was.

'Hij zit hier!' hoorden we roepen vanuit een raam op de vierde verdieping in de naastgelegen flat. Het was de buurman, zoals Mike hem altijd noemde. Mike ging daar altijd even een biertje drinken als hij alleen was. Voor we iets terug konden zeggen was Mike al naar beneden gekomen. Hij pakte snel zijn fiets.

Op weg naar de vaart vroeg ik waarom hij geen auto had.

'O,' zei hij laconiek, 'die heb ik moeten inleveren toen ik te veel had gedronken en ze me weer eens hadden opgepakt. Maar dat geeft niks, ik heb al zo veel boetes gehad. Ik heb er nog niet een betaald, en kijk: ik loop nog steeds rond. En rijden in een auto zonder rijbewijs kan ook best.

Ik geloof dat ik wel een keer moet zitten voor die bekeuringen, maar dat hoor ik dan vanzelf wel.'

Stoer, dacht ik, Mike was dus toch wel tuig. Dat hij dat allemaal durft zeg, hij is echt voor niemand bang.

'Ik vind het helemaal niet leuk dat Mike de hele weg naast jou heeft gereden,' zei Anne toen we samen op onze handdoeken lagen.

'Anne, ik kan toch moeilijk aan hem vragen of hij naast jou gaat fietsen. Je moet wel zelf iets ondernemen,' antwoordde ik geïrriteerd.

'Volgens mij vindt hij jou wel erg leuk,' zei ze een beetje teleurgesteld.

Ik begon te lachen. 'Dan heeft hij pech, want ik vind hem alleen maar leuk als vriend, en trouwens, er is ook nog een Karin, hè?'

Mike zagen we die middag niet veel meer. Alleen als een van zijn vrienden een praatje kwam maken met ons, kwam hij even kijken.

'Hij is jaloers,' zeiden zijn vrienden als grapje. 'Mike is helemaal weg van jou.'

'Zie je wel dat ik gelijk heb,' zei Anne snibbig toen niemand ons hoorde. Ik kon haar geen ongelijk geven dat ze zo reageerde, maar ik voelde me wel gevleid. Mike had een leiderspositie in de groep. De leider van de groep vond mij leuk! Ik had het gevoel alsof ik alles aankon en nergens bang voor hoefde te zijn. Zo'n heerlijk gevoel had ik lang niet gehad. Misschien wel nooit.

Rond een uur of vijf reden we met zijn drieën terug naar Mikes huis. We praatten over koetjes en kalfjes. Ik vond het spannend om naar Mike te kijken, hoe hij rookte en praatte tegelijk. Bij Mike thuis aangekomen bleven we nog even met elkaar staan kletsen. Mike stond in de deuropening en wij hingen voor de deur over het stuur van onze fietsen.

'Anne!' hoorden we ineens heel hard roepen. We schrokken. Die stem kenden we. Achter de struiken zagen we Annes moeder staan.

'Nu meekomen!' riep ze kwaad. Ze kwam met grote passen aangelopen en greep Anne bij de arm. Terwijl ze langs me liep, siste ze heel zachtjes naar mij: 'Anne heeft je nog zo gewaarschuwd en toch sleep je haar mee hiernaartoe? Ze mag niet meer met jou omgaan. Je sleurt haar mee in jouw ondergang.'

Stomverbaasd staarde ik ze na toen ze wegliepen. Ik bleef staren tot ik nog maar een klein stipje zag.

'Zo,' zei Mike, 'daar zijn we mooi vanaf. Wat een dom kind was dat, zeg. Echt een mokkel. Ik snap niet dat ze een vriendin van je is. Het is een beetje een tutje,' zei hij. Hij merkte hoe verbaasd ik was en legde een arm om me heen.

'Wil je wat drinken?' vroeg hij en we liepen naar binnen.

Wat een idiote situatie. Al die tijd dat Anne Mike leuk vond, was hij haar liever kwijt dan rijk. Eigenlijk had hij wel gelijk wat Anne betreft. Ze had dus thuis nooit de waarheid verteld en nu kreeg ik ook nog eens de schuld van alles. Ik was teleurgesteld in Anne en ook heel verdrietig, omdat haar moeder mij verkeerd beoordeelde. Nee, het zat me niet lekker.

We zaten al een half uur zwijgend naast elkaar op de bank voor ons uit te kijken.

'Ik zie je toch zeker nog wel, nu Anne hier niet meer mag komen?' vroeg Mike en hij sloeg een arm om mij heen.

'Ik vind je een aardige jongen en ik vind het gezellig om hier te zijn, maar meer zit er van mijn kant niet in,' antwoordde ik afwerend.

Mike lachte en stak een sigaret op. 'Jij ook een?' vroeg hij. Ik knikte. Hij stak er twee in zijn mond en hield er een aansteker bij. Terwijl hij er een aan mij gaf, zei hij: 'Ik vind je gewoon een wereldwijf, meer niet.'

Ik moest lachen. Was dat nou een compliment? Een wereldwijf... Nou bedankt, dacht ik, zolang je maar niet van mij verwacht dat ik je een wereldvent vind.

Na ongeveer een half uurtje had ik het wel weer gezien bij Mike en fietste ik naar huis.

Ik wist dat me thuis iets te wachten stond, want ik was weer eens te laat voor het eten. Ik zette mijn fiets in de schuur, liep langzaam de trap op, deed de sleutel in het slot en bereidde me voor op het ergste. Een week thuisblijven, zoiets zullen ze wel bedacht hebben om me te straffen, dacht ik. Nou ja, daar kwam ik ook wel weer overheen.

'Hallo!' riep ik toen ik binnenkwam.

'Je eten staat in de koelkast en je warmt het maar zelf op!' antwoordde mijn stiefvader. Ik liep naar de keuken, haalde mijn eten uit de koelkast en warmde het op in een koekenpan. Mijn moeder kwam met rode ogen in de keuken staan. Ik keek haar verbaasd aan.

'Wat is er met jou aan de hand?' vroeg ik haar.

'Hoe heb je zoiets kunnen doen?' vroeg ze met trillende stem.

'Wat heb ik nu weer gedaan?' vroeg ik een beetje snauwerig.

'Annes moeder heeft gebeld,' zei ze.

'Ja, en wat had die te vertellen?' vroeg ik.

'Ze vertelde dat jullie met een crimineel omgaan.' Ze klonk nu wat rustiger.

'Mam, dat is maar een roddel, die jongen is dan misschien geen lieverdje geweest, maar hij is nu echt zijn leven aan het beteren,' probeerde ik haar gerust te stellen. 'Vind je niet dat iemand een tweede kans verdient?'

Mijn moeder zuchtte. 'Ze vertelde dat jij verliefd bent op hem en dat Anne je nog gewaarschuwd heeft voor hem, maar dat je niet wilde luisteren. Anne mocht van haar moeder niet meer bij Mike komen,' ging ze door, 'maar jij hebt haar overgehaald om mee te gaan.'

'Nou ja!' zei ik kwaad. 'Is ze helemaal gek? Ze verdraait het hele verhaal gewoon.'

'O ja, wat is volgens jou dan het verhaal?' zei mijn stiefvader, die intussen ook de keuken was binnen gekomen.

'Anne is verliefd op hem,' antwoordde ik verdedigend, 'maar toen haar moeder daarachter kwam heeft ze verteld dat ik verliefd op hem was, in de hoop dat ze dan nog naar hem toe mocht. Haar moeder wou daar niks van weten en toen is ze gewoon stiekem gegaan en dat is haar moeder te weten gekomen. Ik weet ook pas sinds vandaag dat ze mij al die tijd de schuld heeft gegeven. Voor mij is de vriendschap over,' zei ik kwaad.

Ze waren nu allebei even stil.

'En denk je dat wij dat geloven?' zei mijn stiefvader zacht.

'Waarom geloven jullie mij niet, en die moeder wel?' Ik werd steeds kwader.

'Zeg nou zelf, zo eerlijk ben je de laatste tijd niet geweest,' zei mijn moeder. 'Je school heeft gebeld dat je de boel in de maling neemt met je huiswerk, dat je bazig doet tegen je medeleerlingen en dat je dit jaar weer blijft zitten en dus van school moet.'

Zo, dat was niet niks, dacht ik. Maar ja, ik had het er ook wel naar gemaakt. 'Ja, en nu?' vroeg ik.

'Je moeder en ik hebben de hele middag geprobeerd te bedenken wat nou de beste oplossing zou zijn,' ging mijn stiefvader verder. 'Met ons heb je elke dag ruzie, op school is er volgend jaar geen plaats meer voor je. Bij je vader kun je niet meer wonen, want dat heb je al een keer geprobeerd. Dus hebben we maar contact opgenomen met een internaat en daar hebben we volgende week een intakegesprek. Je kunt zolang bij Paula wonen,' zei hij in één adem.

Bij Paula wonen leek me wel leuk. Zij was al jaren een goede vriendin van mijn moeder, en ze had twee kleine kinderen op wie ik wel eens paste. Maar een internaat? Daar schrok ik wel van.

'En alles is op vrijwillige basis,' zei mijn moeder in een poging de boodschap te verzachten.

Ik staarde naar mijn eten in de pan en roerde erin met een vork. Mijn eetlust was meteen weg. Wat een dag: eerst Anne, nu mijn ouders met dit nieuws.

'Willen jullie niet weten wat ik ervan vind?' vroeg ik.

'Nee,' antwoordde mijn stiefvader, 'hier gaan we niet over discussiëren. Dit hebben wij beslist, en zo gaat het ook gebeuren, voor je eigen bestwil.'

'Oké,' zei ik, 'maar dan ga ik vanavond nog naar Paula.'

Die week bij Paula leek wel vakantie. In afwachting van het gesprek op het internaat hoefde ik niet meer naar school en Paula was supermakkelijk. Als ik niet mee wilde eten, hoefde ik dat alleen maar even door te geven. Ik hoefde ook niet echt vroeg thuis te zijn, meestal pas rond een uur of tien. Dus zat ik vaak bij Mike.

Van Anne hoorde ik niets. Dat kwam denk ik doordat we elkaar niet meer zagen op school. Ik vond dat ze toch wel even contact had kunnen opnemen. Ze kon immers ook stiekem naar Mike, dus van daaruit kon ze makkelijk even bellen. Maar dat deed ze niet. Die vriendschap heeft ook niet echt iets betekend, vond ik. Ik voelde me gebruikt.

De dag van het gesprek op het internaat brak aan. Dat betekende dat ik mijn moeder en mijn stiefvader ook weer zou zien. Ik bedacht dat het weekje bij Paula wel erg relaxed was geweest: ik had even tijd gehad om bij te komen van alle ruzies en spanningen.

Ze wachtten me op in de auto. Het was een heel eind rijden. Dat hebben ze goed voor elkaar, dacht ik. Dat internaat is zo ver uit de buurt, dat ze lekker van me af zijn als ik daar zit. Na twee uur rijden draaiden we een weg op die dwars door het bos ging. Wel een mooie omgeving, vond ik. We gingen een bocht om en kwamen op een groot grasveld met daaromheen zes kleine huisjes. Daartussen stond een schoolgebouwtje met een gymzaaltje en op het grasveld stonden allerlei speeltoestellen.

We zetten de auto neer op de parkeerplaats naast nog een ander, groter gebouw. Ik stapte uit en zag een meisje en twee jongens vanuit een van de huisjes naar de school lopen. Ze zongen heel hard een liedje uit de Top 40. Het was dus vast niet erg vervelend om hier te zijn, dacht ik. Als iedereen zo vrolijk was, leek het me wel leuk hier.

We liepen de trap van het grote gebouw op en gingen zitten op de stoelen die in de hal stonden. Het was er druk; af en toe begroette iemand ons vriendelijk. Na enige tijd werden we geroepen door een man die ons vroeg hem te volgen. We liepen een kamertje in waar allemaal stoelen rond een grote tafel stonden. Op de tafel stonden kannen met koffie en thee en op de grond lag een grote hond te slapen. Ik liep eropaf en zei enthousiast: 'O, wat een leuke hond, zo een heeft Mike ook! Hoe heet hij?'

'Dat is Mara en ik heet Piet,' antwoordde de man, en hij gaf ons alle drie een hand. 'Ik ben hier groepsleider en als ik dienst heb, neem ik mijn hond altijd mee. Dus waar Mara is, ben ik en waar ik ben, is Mara ook,' vertelde hij in één adem.

Wat een aardige man is dat, dacht ik. Volgens mij is hij wel oké. Als ze allemaal zo zijn, heb ik niet te klagen.

We namen plaats op de stoelen en dronken koffie. Er kwamen nog twee mannen bij zitten.

'Hallo, ik ben Jan Smeeds, de directeur,' zei de ene man en hij gaf ons een hand.

'Ik ben de maatschappelijk werker van het internaat,' zei de andere man, en ook hij gaf ons een hand.

'We zullen even kort vertellen wat dit internaat inhoudt en dan kun jij daarna iets over jezelf vertellen,' zei Jan de directeur.

'Laten we maar beginnen,' stelde ik voor.

Jan de directeur was een grote, dikke man. Hij had een heel rustige uitstraling en een zachte stem. Het gesprek boeide me niet zo, ik vond het allemaal maar moeilijke taal. Alleen wat me aansprak drong tot me door. Dus in plaats van te blijven luisteren, observeerde ik de mensen om de tafel. Zo vond ik die maatschappelijk werker maar een vage man. Hij zat maar in zijn papieren te kijken en als hij iets moest vertellen, was het net alsof hij alles oplas. Zijn haar stond wild en rechtovereind op zijn hoofd. Ik schatte hem op een jaar of vijfendertig.

Jans zachte stem bracht mij weer terug bij het gesprek. Hij zei: 'Iedereen zit hier op vrijwillige basis. Als de ouders het wel eens zijn met de plaatsing en de jongere niet, gaat het niet door. Als er wel een plaatsing geregeld wordt, dan is dat op verzoek van beide partijen. We kijken naar de thuissituatie en van daaruit bespreken we de mogelijkheid van een weekendverlof. Meestal beginnen we met een verlof van eens per drie weken een weekend naar huis. Als dat goed gaat, kunnen er meer weekends thuis plaatsvinden. De bedoeling is dat we met z'n allen werken aan een goede thuissituatie, zodat er eventueel weer een plaatsing naar huis toe kan komen. Deze doelstelling wordt vanuit de groep begeleid door jouw mentor. Ook wordt er natuurlijk gewerkt aan je toekomst. Dat betekent dat je hier naar school moet. Als je hier niet aan wilt meewerken, kun je ook niet geplaatst worden.

Nu hebben we twee oplossingen wat de school betreft,' ging hij verder. 'De eerste is een buitenschool. Dat houdt in dat je naar een gewone school gaat in de stad. Dat kan alleen als je geen problemen hebt met school en je ook wilt leren. Dat lijkt me niet op jou van toepassing, als ik hier het getuigschrift van je school bekijk.'

Ik kon alleen maar bevestigend knikken.

'Goed, dan hebben we voor jou de binnenschool. Dat is een school hier op het terrein. Onze doelstelling is dat de jongeren die niet kunnen of willen leren een programma volgen waarin voornamelijk met de hand wordt gewerkt. Dat neemt niet weg dat er ook wel iets moet worden geleerd. 's Ochtends wordt er twee uur lesgegeven: Nederlands, Engels en rekenen. Als je die drie vakken onder de knie hebt, kun je landelijk examen doen voor een certificaat. Na die twee uur bestaat je rooster uit vakken van je eigen keuze, bijvoorbeeld koken, doka, tekenen, naaien, gymmen en nog meer van dat soort vakken. Maar dat leggen ze wel uit op school, als je hier geplaatst wordt. Heb je nog vragen?'

'Nee,' zei ik, 'het lijkt me allemaal wel erg leuk.'

'Goed,' zei Jan. 'Dan stel ik voor dat Piet jullie wat uitlegt over de groep en vervolgens een rondleiding geeft over het terrein.' Hij stond op, gaf ons een hand en liep de kamer uit.

Piet vertelde dat de groep uit twaalf jongeren bestond. Er waren vier groepsleiders, die elkaar om de dag afwisselden. Ik luisterde maar half. Ik was veel te benieuwd naar de rondleiding.

'Heb je nog vragen?' vroeg hij aan het einde van het gesprek.

'Ja,' zei ik, 'mag je hier roken?'

'Als dat van je ouders mag, kan het hier ook,' zei hij.

Ik keek mijn moeder en mijn stiefvader aan.

'Als je het zelf betaalt, vinden we het best,' zei mijn moeder.

'Dat kan,' zei Piet, 'want je krijgt hier elke week zakgeld.
Daar moet je ook je telefoontikken van betalen en je snoep
of shag.'

Dat leek me geen probleem.

De rondleiding was leuk en de groep waar ik in zou komen
zag er gezellig uit. We spraken af dat ik een weekend zou
komen voor een oriëntatie.

Toen we in de auto zaten op weg naar huis was het stil.
Ik vond het niet erg, ik verheugde me nu al op het week-
endje. Alleen: hoe moest ik het Mike vertellen? Misschien
scheidden onze wegen wel als ik geplaatst zou worden op
het internaat.

Paula begroette ons vrolijk toen we terugkwamen van het internaat. 'Hoe was het?' vroeg ze terwijl we naar de woonkamer liepen.

'Ja, leuk,' antwoordde ik terwijl ik op de bank plofte.

'Wanneer kan ze geplaatst worden op het internaat?' vroeg Paula aan mijn moeder.

'Ze moet eerst een weekend komen oriënteren,' antwoordde mijn moeder, 'en dat is over twee weken.'

'Wil je tot die tijd misschien hier blijven?' vroeg Paula aan mij.

'Ja, dat lijkt me gezellig. Ik heb toch niks anders te doen, dus ik kan mooi oppassen als jij weg wilt met Wim. Dat vinden de kinderen leuk en ik ook.'

Ik wist dat Paula graag 's avonds naar de manege ging met haar man, dus dat kwam haar goed uit. Mij ook, want dan had ik een beetje tijd voor mezelf. En mijn moeder en stiefvader waren ook blij met het aanbod van Paula; zo hadden we tenminste allemaal even rust.

Na een half uurtje gingen mijn moeder en mijn stiefvader naar huis.

'Als je spullen nodig hebt, kun je ze gewoon thuis ophalen. Dan zie ik je ook nog even,' zei mijn moeder toen ze in de auto stapte. Ik gaf haar een zoen en gooide het portier dicht. Toen ze wegreden, zwaaide ik ze na. Terwijl ik naar binnen liep, dacht ik bij mezelf: zo, lang leve de lol! Hier is het geweldig en ik heb alle vrijheid. Ik word hier gewoon als een vijftienjarige behandeld, en niet als een klein kind.

In de keuken was Paula bezig om soep te maken. Ik ging er gezellig bij zitten aan de eettafel. Ze stond met haar rug naar mij toe en roerde in de soep. Ik keek naar haar. Ze was niet echt groot, maar door haar hoge naaldhakken leek ze veel groter. Daarnaast had ze haar blonde haar ook nog huizenhoog getoupeerd met bussen vol haarlak. Je kon zien dat ze vroeger kapster was geweest. Eigenlijk was ze best wel ordinair.

'Kun jij vanavond oppassen?' vroeg Paula terwijl ze zich naar mij omdraaide.

'Tuurlijk!' zei ik, 'ik heb toch niks te doen.'

'O ja,' zei Paula, 'ene Mike belde vandaag. Hij wist niet van ophouden, hij heeft wel een stuk of drie keer gebeld. We hebben maar gezegd dat je vandaag op gesprek was op het internaat. Toen hij dat hoorde, heeft hij vloekend de hoorn erop gegooid. Is dat een vriend van je?' Ze draaide zich weer om naar haar soep en roerde erin.

'Ja, gewoon een vriend,' antwoordde ik zo luchtig mogelijk.

Het avondeten verliep heel ontspannen. Ik vond het heerlijk om de kinderen aan tafel te zien eten. Na het eten hielp ik Wim met de afwas. Hij zei: 'Ik vind het fijn dat je wilt oppassen, dan kunnen we met een gerust hart van huis.'

Ik keek hem aan. 'Ik pas graag op, hoor. Ik heb dan het

gevoel dat ik mezelf kan zijn. Trouwens, de kinderen worden toch niet wakker, dus het is gewoon een avond op de bank hangen voor de buis en lekker kijken wat ik leuk vind.'

Wim moest lachen. 'We boffen maar met jou,' zei hij.

'En ik anders ook met jullie!' zei ik erachteraan.

Terwijl Wim en Paula de kinderen op bed legden, ging ik de hond uitlaten. Ik vond dat ze hun dagelijkse dingen ook zonder mij in huis moesten kunnen doen.

Rond een uur of zeven was alles klaar. De kids lagen lekker te slapen, de hond was uit geweest. Mijn avond kon beginnen. Toen Wim al in de deuropening stond om naar buiten te gaan, zei Paula nog tegen mij: 'Als je chips of snoepjes lust, die liggen in het kastje. En het telefoonnummer van de manege ligt bij de telefoon, voor als er iets is.'

'Oké!' antwoordde ik. 'Veel plezier!' En Paula volgde Wim naar buiten.

Na een half uur op de bank hangen sloeg de verveling toe. Er was niks op televisie. Ik ging naar boven om te kijken of het goed ging met de kinderen. Het jongetje lag lekker te slapen. Ik liep zachtjes weg en opende de volgende deur. Ook in die kamer hoorde ik niets anders dan het zachte gesnurk van het meisje. Bij de deur van Wim en Paula's slaapkamer bleef ik stilstaan. Aarzelend opende ik de deur en sloop naar binnen. In het midden van de kamer stond een groot bed met een zwarte sprei en een spiegel aan het hoofdeinde. Links was een raam met daarnaast een kaptafel met weer een grote spiegel. Aan de rechterkant van het bed was een grote klerenkast.

Ik opende de grote schuifdeuren van de kast. De ene

kant was gevuld met mannenkleding, netjes opgestapeld en gevouwen. De andere kant was gevuld met vrouwenkleding. De kleren hingen op hangertjes en waren dicht op elkaar gepropt, omdat het er zoveel waren. Ik struinde een beetje door de hangertjes. Mijn oog viel op een mini-jurkje. Helemaal zwart. Zo kort, dat als je zou bukken de hele jurk omhoog zou komen.

Ik besloot hem te passen. Ik legde mijn spijkerbroek en T-shirt op het bed. Voorzichtig schoof ik de jurk over mijn hoofd en trok hem zachtjes naar beneden. Paula was wel een paar maatjes dikker dan ik, maar ik vond die jurk eigenlijk best wel stoer. In het laatje van de kast lagen het ondergoed en de kousen van Paula. Ik graaide opgewonden tussen al die zijden lingerie en vond uiteindelijk een zwarte netpanty. Ook die trok ik voorzichtig aan. Nu nog schoenen zoeken, dacht ik, en ik keek onder in de kast. Daar stond een hele rij pumps, het ene paar nog hoger dan het andere. Ik wist niet welke ik moest kiezen en besloot de hoogste zwarte te pakken die er waren. Ze hadden zo'n hoge hak dat ik vreesde dat ik mijn nek zou breken als ik erop zou lopen.

Zittend op de grond stroopte ik het korte jurkje omhoog tot aan mijn middel, want dan kon ik makkelijker bij mijn voeten komen om mijn schoenen aan te doen. Eindelijk lukte het en ik ging voorzichtig op mijn knieën zitten. Ik trok me omhoog aan het bed. Wankelend stond ik daar op die schoenen. Nu moest ik ook nog mijn jurkje naar beneden doen. Gelukkig was het kort en ging het zonder moeite. Terwijl ik me vasthield aan de muur, strompelde ik naar de kaptafel en plofte ik op de poef. Ik draaide heen en weer voor de spiegel. Zo, nu nog wat op mijn gezicht en in mijn haar en klaar is Kees, dacht ik terwijl ik mijn spiegelbeeld zag. Ik hou van een stevig opgemaakt gezicht en aangezien er niemand bij was, kon ik me mooi uitleven.

Ik hou niet van lippenstift, dus was ik snel klaar. Ik was uiterst tevreden met het resultaat. Nu nog mijn haar. Ik pakte de kam en begon mijn haar pluk voor pluk te touperen. Als een pluk klaar was, spoot ik hem vol met haarlak zodat ik zeker wist dat de pluk goed bleef staan. Na een half uur was ik klaar. Ik ging rechtop staan. Daar stond ik dan, wankelend voor de spiegel. Ik vond het stoer en voelde me heel sexy. Ik was eigenlijk heel trots op het resultaat.

Op dat moment hoorde ik buiten een auto piepend de bocht om komen en voor de deur stoppen. Ik strompelde naar het raam om naar buiten te kijken, maar ik zag niks. Er werd beneden heel hard op de deur gebonkt en geslagen.

'Doe godverdomme die deur open of ik sla hem in! Ik weet dat ze bij jullie is!' werd er geschreeuwd.

Jezus, dacht ik geschrokken, dat is Mike. Straks worden de kinderen nog wakker! Is hij helemaal gek geworden?

Ik trapte de schoenen van mijn voeten en liep zo snel en zachtjes als ik kon zonder te vallen, de trap af. Die jurk zat goed in de weg. Beneden liep ik naar de hal en trok met een woest gebaar de deur open.

'Ben je gek geworden?' snauwde ik. 'Er liggen hier kinderen te slapen! Had het niet anders gekund?'

Zo boos als Mike klonk toen ik boven was, zo verbaasd stond hij me nu aan te kijken.

'Wat sta je nou dom te kijken?' vroeg ik geïrriteerd.

Hij nam me van top tot teen op. 'Je, eh... ziet er, eh...' begon Mike te stamelen, en tegelijkertijd besefte ik dat ik er niet uitzag. Maar Mike vond het wel iets hebben, zo aan zijn reactie te merken.

Ik begon te blozen en draaide mijn hoofd weg. 'Kom binnen voordat iemand me zo ziet,' zei ik, plotseling verlegen.

'Ik vind het wel sexy,' zei hij toen hij achter me aan de woonkamer in liep. Ik liep naar de keuken en zei dat hij moest gaan zitten en maar eens moest uitleggen waarom hij zo boos was. Dan zou ik wel even een biertje pakken.

'Neem jij er ook een?' vroeg hij toen ik terug was.

'Nee, je weet dat ik geen alcohol drink,' antwoordde ik en ik duwde het biertje in zijn hand. Ik ging naast hem op de bank zitten en vroeg: 'Waarom was je zo boos net buiten? En tegen wie was je nou aan het schreeuwen? Er is hier niemand, alleen ik, hoor.'

Hij zette het flesje bier aan zijn mond, deed zijn hoofd achterover en dronk zijn bier in een teug op, zonder ook maar één keer te slikken.

'Hoe krijg je dat nou voor elkaar?' vroeg ik verbaasd.

'Dat leer ik je nog wel een keer als je je eerste biertje hebt gedronken. Om terug te komen op je vraag: ik schreeuwde tegen die mensen hier in huis. Ik dacht dat ze je voor mij verborgen hielden.'

'Verbergen? Waarom zouden ze dat doen? Het zijn hartstikke aardige mensen. Ik denk niet dat ze iets tegen jou hebben, hoor,' zei ik.

Mike schoof naar voren en zette zijn lege flesje op tafel. 'Ik heb al een paar keer gebeld vandaag. Telkens zeiden ze dat je er niet was. Toen ik hoorde dat je op gesprek was bij een internaat was ik helemaal pissig.'

'Ja, dat heb ik gehoord,' onderbrak ik hem, 'maar dat betekent niet dat ze dan jou niet moeten. Zij staan hier helemaal buiten. Ik ben hier alleen om niet thuis te hoeven zijn, want thuis werkt het op het moment helemaal niet. Paula en Wim zijn echt heel aardig, hoor, wacht maar tot je ze leert kennen.' Ik hoopte dat ik hem kon overtuigen.

'Maar waarom zijn ze het er dan mee eens dat je naar een internaat moet?' vroeg hij en hij keek me met een donkere blik aan.

'Ik weet niet of zij het ermee eens zijn, maar het is een beslissing van mij en mijn moeder en stiefvader. En daar staan zij buiten,' verzekerde ik hem.

Mike schoof weer terug op de bank. 'Geef me nog maar een biertje,' zei hij.

Ik stond op en liep naar de keuken om er een te halen. Vanuit de woonkamer hoorde ik hem zeggen: 'Hoe kunnen ouders nou hun kinderen in een internaat stoppen? Daar worden ze alleen maar slechter van. Kijk maar naar mij, ik ben er ook niet beter van geworden. Ik zou dat mijn eigen kinderen nooit aandoen.'

Ik liep terug naar de woonkamer met het biertje. 'Ik ben ook niet een van jouw kinderen.'

'Nee, gelukkig niet,' antwoordde Mike lachend, 'dan zouden we een probleem hebben.'

'Hoezo?'

'Ik vind jou superaantrekkelijk en je bent een wereldwijf en als het aan mij ligt, gaan we nu naar boven. Dan zal ik je laten zien wat ik bedoel.'

Ik wist niet wat ik hoorde, laat staan hoe ik moest reageren. Ik voelde mijn hoofd rood worden.

'Wat kleur je mooi,' reageerde Mike.

'Nou, ik moet je teleurstellen,' zei ik meteen. 'Je hebt een vriendin en ik voel me niet tot je aangetrokken.'

'Dan zul je je altijd blijven afvragen hoe het is met mij in bed. Zonde, hoor, het is een ervaring die je niet mag missen.'

'Nu maak je het te bont,' zei ik en ik stond kwaad op. Ik liep naar de voordeur en maakte hem open. Ik bleef staan bij de open deur en zei: 'Eruit, Mike. Eruit, ik hoef deze praatjes van jou niet. Als dat alles is wat je te zeggen had, dan kan je nu vertrekken.'

Mike stond op, liep op me af en zei: 'Ik meen het serieus, hoor.'

'Ik ook.'

Hij liep langs me heen naar buiten, deed het autoportier open, nam plaats aan het stuur en startte de auto.

'Je mag niet eens rijden, man. Ze hebben niet voor niets je rijbewijs ingenomen. Straks pakken ze je nog op,' riep ik hem na.

Mike begon te lachen en zei: 'Zie je wel dat ik je niet koud laat!' Hij trok het portier dicht en reed met piepende banden weg.

Ik keek hem na en dacht: hij heeft nog gelijk ook. Hij laat me niet koud.

Ik liep naar binnen en deed de deur achter me dicht. Ik ging meteen naar boven, waste mijn gezicht en ging naar bed.

Ik lag te draaien in bed. Ik kon de slaap niet vatten. Telkens dacht ik aan het gesprek met Mike. Hij had in zekere zin wel gelijk. Ik voelde wel iets voor hem, maar wat? Verliefdheid was het niet, dacht ik. Verliefdheid betekende toch kriebels in je buik en niet kunnen eten, de hele dag aan hem denken en bij hem willen zijn, hem geweldig vinden? Ik dacht na over deze eigenschappen van verliefdheid. Ze waren helemaal niet op mij van toepassing. Ik kon goed eten, had zeker geen kriebels in mijn buik en ik vond hem echt niet geweldig; ik wist zeker dat hij niet helemaal pluis was. Maar hij was zo aardig voor me. Hij begreep dat het niet makkelijk was thuis. Het was waarschijnlijk de aandacht die hij me gaf die ik erg leuk vond. In zijn ogen was ik tenslotte een wereldwijf. Wat dat ook mocht betekenen.

Eén ding was duidelijk: hij was vanavond wel wat te ver gegaan. Niet zozeer dat hij heel stoer hiernaartoe was gestormd en bezorgd om me was. Nee, dat vond ik geweldig, dat was de aandacht waar ik van smolt. Maar daarna had hij me beledigd. Waar hij de brutaliteit vandaan haalde! Alsof ik zomaar even boven met hem zou gaan vrijen! Hij moest eens weten: ik had het nog nooit gedaan. De gevoelens die ik voor hem had, waren puur vriendschappelijk. Ik vond het heel leuk om in het gezelschap te zijn van zo iemand als Mike. Hij werd toch als een stoere jongen gezien in zijn omgeving.

Maar ja, het was niet belangrijk. Over een paar weken mocht ik op oriëntatieweekend in het internaat. Wie weet zie ik hem dan helemaal niet meer, dacht ik. Hij heeft toch een relatie met Karin, dus misschien is het allemaal wel beter zo.

Uiteindelijk werden mijn ogen zwaarder en werd ik overmand door slaap.

'Joehoe, wakker worden, er is post!' riep Paula onder aan de trap. Ik keek verbaasd op de wekker. Tot mijn grote schrik zag ik dat het al half elf was.

'Ik kom eraan!' riep ik terug. Ik stapte uit bed en liep naar de stoel waar mijn kleren overheen hingen. Gauw mijn spijkerbroek aan en een trui. Ik liep zo snel ik kon de trap af, bleef voor de spiegel staan die in het halletje beneden aan de muur hing, keek erin en zag dat het er niet echt best uitzag. Ik streek een keer door mijn haar en dacht: eerst de post en dan schiet ik wel onder de douche. Mijn nieuwsgierigheid wint het nu.

'Goeiemorgen!' zei ik toen ik de deur opende naar de woonkamer.

'Goeiemorgen,' groetten Wim en Paula terug.

'Wil je een kop thee?' vroeg Paula.

'Ja, lekker,' antwoordde ik terwijl ik naar Wim toe liep die op de bank zat. Ik plofte naast hem neer. 'Was er echt post voor mij?' vroeg ik.

'Ja, daar op het tafeltje,' antwoordde hij en hij wees naar de envelop op het kleine tafeltje naast de bank.

'Hier is je thee.' Paula reikte mij een beker aan. 'Ik denk dat het een brief is van het internaat.'

Met trillende handen maakte ik de brief open en las aandachtig wat erin stond. Toen ik klaar was, keek ik op. Ik zag dat ze alle twee gespannen zaten te wachten op mijn reactie.

'Inderdaad,' sprak ik het verlossende woord, 'het is een brief van het internaat en ze nodigen mij uit om een weekend proef te draaien.'

'Wanneer?' vroeg Paula.

'Niet lachen, hè? Ik kan dit weekend al komen. Dat is wel érg snel. Ik zal meteen mijn moeder maar bellen, dan kunnen ze me vrijdag brengen.' Ik stond op, liep naar de telefoon en belde mijn moeder. Het was een kort gesprek. We spraken een tijd af voor vrijdag.

'Dat was kort,' zei Paula. 'Ik zie aan je gezicht dat je een beetje teleurgesteld bent, of niet?'

'Nou, niet echt teleurgesteld of zo,' zei ik, 'maar een beetje belangstelling had ik wel leuk gevonden.'

'Ach, voor je moeder is het natuurlijk ook niet makkelijk. En jij, zie je ertegen op?' vroeg Paula.

'Nee, niet echt, maar spannend vind ik het wel. Ik ken daar tenslotte niemand. En je weet, ik ben niet zo goed in regeltjes. Misschien word ik niet toegelaten. En dan? Hoe moet het dan verder?'

'Dat zal best meevallen. En als je niet toegelaten wordt, vinden we heus wel een andere oplossing. Volgens mij is het daar hartstikke gezellig en leer je er een heleboel leuke nieuwe mensen kennen. Let maar op mijn woorden!' stelde Paula me gerust. Ik moest lachen om haar stelligheid. Misschien had ze wel gelijk.

Opeens schoot Mike door mijn gedachten. Hoe moest ik hem dit nu gaan uitleggen? Ik bedacht dat ik hem maar beter niks kon vertellen, tenslotte was ik hem niks verplicht. We hadden niks met elkaar en hij zou zich toch alleen maar opwinden. Ja, ik stond wel achter dat besluit. Tevreden stapte ik onder de douche en begon in mijn hoofd een lijstje te maken van dingen die ik nog even snel moest regelen voor het weekend.

'Hallo,' begroette Piet ons vriendelijk, 'heb je er zin in of vind je het wel een beetje spannend?'

'Heel spannend,' antwoordde ik.

'Nou, dat zal heus wel goed komen allemaal. Zal ik je kamer even laten zien? Je hebt wel geluk, je bent in deze groep het enige meisje. Dat betekent dat je een eigen kamer hebt, anders moest je een kamer delen. Ga je mee?'

Piet liep voorop en wij gingen met hem mee naar de grote vierkante hal. Op die hal kwamen twee gangen uit: een naar links en een naar rechts. In het midden was een kamer.

'Dit is de kamer van de leiding,' vertelde Piet. 'Hier slapen de groepsleiders die dienst hebben en er staat een groot bureau waar je kunt bellen en waar de overdracht wordt geschreven door degenen die dienst hebben.'

'Wat is de overdracht?' vroeg ik.

'De overdracht is een verslag van hoe de dag is verlopen en of er nog dingen zijn die de volgende moet weten. Een soort dagboek. Jullie mogen altijd lezen wat er geschreven wordt, en als er iets is gebeurd wat de andere jongeren niet mogen lezen, wordt dat genoteerd in je eigen schrift. Ook hier mag je in kijken wanneer je wilt. Dat schrift is alleen toegankelijk voor jou en de leiding. Snap je het een beetje?'

'Helemaal.'

'In deze grote kast,' ging Piet verder, 'wordt jullie zakgeld bewaard. Ieder heeft zijn eigen spaarpotje met een papiertje erin. Daarop wordt precies bijgehouden hoeveel eruit wordt gehaald. Alleen groepsleiders hebben de sleutel van de kast. Ook het zoete broodbeleg staat erin. De regel is dat er maar twee zoete producten op tafel staan bij het eten. Als daar een van op is, dan kan er met toestemming een nieuw gehaald worden. Met de broodmaaltijd is de regel dat je minimaal één boterham – en wel een bruine – met iets hartigs eet. Heb je dan nog honger, dan kun je een witte met hartig beleg eten, en als je dan nog iets lust mag je volop brood eten met zoetigheid. Vind je dat een strenge regel?'

'Nee, helemaal niet,' zei ik lachend. 'Ik hou niet van zoetigheid en al helemaal niet van witbrood.'

We liepen de linkergang in. Daar waren nog vier andere deuren naast elkaar.

'Dat zijn allemaal slaapkamers,' legde Piet uit. 'De eerste deur is jouw slaapkamer.' Piet deed de deur open.

Ik liep naar binnen. Het was een kleine kamer met tegen de linkermuur een bed en aan de rechtermuur een wastafel met koud water, een spiegel en een inbouwkast. Recht vooruit was een groot raam, waardoor je uitkeek op een uitgestrekt weiland.

'Je kunt alvast je tas in de kast zetten,' zei Piet. 'O ja, en de regel is dat je niet zomaar elkaars kamer in loopt. Eerst klop je op de deur, en als er ja wordt geroepen, vraag je of je binnen mag komen. Wordt er niet gereageerd, dan loop je niet naar binnen. Zo heeft ieder zijn privacy.'

We liepen de gang weer in naar de enige deur aan de rechterkant. We gingen de deur door en kwamen in de woonkamer. Het eerste wat me opviel, was dat deze ruimte heel veel ramen had. Het waren grote ramen waar halve valletjes voor hingen. In de vensterbank stonden een heleboel planten. Daar was ik juist zo gek op, op planten. Aan de rechterkant was een zithoek met een televisie en een stereotoren. Aan de linkerkant stond een grote eettafel met veertien stoelen. Er was ook een deur, die naar de keuken leidde. Die stelde niet veel voor. Er was een kookpitje en een koelkast, een kast met borden en dergelijke. En natuurlijk een aanrecht met warm water om af te wassen.

'Hier wordt niet gekookt,' vertelde Piet, 'dat doet de hoofdkeuken. Door de week kun je zo veel melk en thee en koffie drinken als je wilt. In het weekend is er limonade en chips voor bij de televisie.'

Gatver, dacht ik. Moet ik hier nog koffie drinken ook. Nou ja, alles beter dan nog langer thuis moeten wonen. Hoewel mijn moeder en stiefvader er ook bij waren, spraken we amper met elkaar. Als ze me dan zo graag kwijt wilden, had ik ook geen zin meer om moeite te doen.

'Ik zal je de rest van het paviljoen laten zien,' ging Piet verder, en we liepen achter hem aan weer terug de gang in. Nu gingen we de rechterkant van de hal in. Aan de linkerkant van die gang zaten vier deuren. 'De eerste deur is de douche,' vertelde Piet. 'Het is de bedoeling dat je hier elke dag doucht, je mag zelf weten of je dat 's morgens doet of 's avonds. De tweede deur is de wc voor de leiding, maar aangezien jij het enige meisje bent, mag jij die ook gebruiken. De volgende deur is weer een douche, de deur daarnaast is nog een wc, voor de jongens.'

Aan de rechterkant van de gang zaten twee deuren. 'Dit zijn de slaapzalen,' vertelde Piet terwijl we naar binnen liepen. Het was een heel grote kamer met in het midden een houten wand, die een afscheiding vormde tussen twee kamers. In iedere kamer stond een stapelbed, een wastafel en natuurlijk een klerenkast.

We liepen terug naar de gang en Piet vroeg of we trek hadden in koffie. Ik niet, maar mijn moeder en stiefvader wel. Aan de grote eettafel vroeg Piet of we nog vragen hadden. Hij schonk koffie in, voor mij ook. Terwijl ik naar mijn koffie staarde, vroeg Piet wat ik erin wilde.

'Eh,' stamelde ik, 'weet ik veel, doe maar iets.'

'Ik zou als ik jou was melk en suiker erin doen voor de eerste keer. Dan is het niet zo sterk,' zei Piet. Zo, dacht ik, die heeft me snel door.

'Nee,' antwoordde ik.

Piet keek verbaasd op. 'Wat nee?' vroeg hij.

'Nee, ik heb geen vragen meer.'

'Mooi,' zei hij. We dronken ontspannen koffie. Voor het eerst merkte ik dat ik het toch wel fijn vond dat mijn moeder en stiefvader erbij waren. Het was echt een heel prettig moment.

Rond het middaguur gingen mijn moeder en stiefvader naar huis en bleef ik alleen achter. Ik liep naar mijn kamer om mijn koffer uit te pakken. Eerst ging ik op het bed zitten en keek de kamer rond. Als ik hier voorgoed kom wonen, zal ik deze kamer wel gaan veranderen, dacht ik. Ik vond er geen sfeer in zitten. Ik zou de kamer helemaal vol met posters hangen en mijn bed onder het raam zetten, dan had ik meer ruimte. En ik moest een radio hebben, want het was er erg stil.

Er werd op de deur geklopt. 'Ja?' zei ik.

Piet deed de deur open. 'Er is telefoon voor je,' zei hij.

'Voor mij?' vroeg ik verbaasd.

Piet was alweer weg, hij werd geroepen door iemand. Ik bleef verbaasd zitten en dacht: jezus, ik kan ook nooit wat doen of Mike heeft me alweer gevonden. Dit pik ik niet van hem, hij heeft het recht niet om mij zo in de gaten te houden. Hoe weet hij trouwens dat ik hier zit, hoe komt hij aan dit nummer? Ik weet het zelf nog niet eens!

Ik liep de kamer van de leiding binnen naar de telefoon. Verbaasd zag ik dat die gewoon op het bureau stond, met de hoorn erop. Mooi, dacht ik, hij heeft al opgehangen!

Toen ik terugliep naar mijn kamer kwam ik Piet tegen op

de gang. 'Ze wacht nog steeds aan de andere kant van de lijn,' zei hij.

'Ze?' vroeg ik verbaasd. 'Ik ben net bij de telefoon geweest en daar was echt niemand, hoor.'

'Nee, ze zit op de binnenlijn,' antwoordde Piet.

'De binnenlijn? Wat is dat nou weer?'

'Dat is de telefoon in de woonkamer, daar kun je mee bellen binnen het internaat.'

'O,' antwoordde ik verward, 'dat wist ik nog niet. Waar hangt dat ding?'

'Gelijk om het hoekje van de deur.'

In de woonkamer hing inderdaad een telefoon aan de muur met de hoorn op zijn kop. Ik pakte de hoorn en bracht hem naar mijn oor. 'Met Merel?' zei ik zachtjes.

'Hoi, met Saskia,' zei iemand aan de andere kant. 'Je kent me niet. Ik zit in een andere groep. Heb je zin om naar de soos te komen?'

'Eh, ja hoor,' zei ik. 'Waar is dat en wat is er te doen?'

'Nou, veel is er op het moment niet te doen, want de meesten zijn op weekendverlof, maar je kunt hier wat dansen en een spelletje biljart spelen. We moeten het gewoon zelf gezellig maken. Ik sta op het moment achter de bar, maar ik zie je zo wel. Ik moet nou ophangen want er wil iemand wat drinken. Tot zo!'

De verbinding werd verbroken. Ik legde de hoorn op de haak en liep naar de slaapzaal van de jongens, waar Piet was. 'Weet jij waar de soos is?' vroeg ik hem.

'Als je naar het hoofdgebouw loopt, is het daarbinnen de eerste deur links.'

'Is het goed dat ik daar naartoe ga?'

'Ja, tuurlijk,' antwoordde hij. 'Wil je dat ik meega of lukt het je alleen?'

Ik verzekerde Piet dat het wel zou lukken en dat ik anders mijn mond wel bij me had om het te vragen. Ik pakte mijn jas en vertrok naar het hoofdgebouw. Binnen nam ik de eerste deur aan de linkerkant.

De soos was een grote zaal met een klein barretje. In het midden was een groot biljart waarop wat jongens aan het spelen waren. Ik liep op ze af en ze begroetten me vriendelijk. Ze stelden zich voor en vertelden dat ze in een andere groep woonden dan ik. 'Jouw groep heeft de leukste leider van het internaat,' zei een van de jongens.

'O ja, wie is dat dan?' vroeg ik.

'Piet,' zei hij.

'Ja, echt wel!' zei het meisje achter de bar.

'Jij bent zeker Saskia,' zei ik.

'Ja, dat klopt. En het is echt waar wat hij zegt, Piet is de tofste groepsleider die er is. Het is altijd gezellig met hem. Hij maakt altijd een dolletje, alles kan, tenminste een hoop, meer in ieder geval dan bij de meeste anderen, die werken meer met regels. Je kunt altijd wel een sigaretje bij hem bietsen. Maar maak hem niet kwaad, want dan is het gelijk afgelopen. Ga niet over de grens, want dan is hij heel flauw, en het duurt heel lang voor het vertrouwen bij hem terug is. Maar gelukkig gebeurt dat niet zo snel.'

Ik nam ondertussen plaats op een kruk aan de bar.

'Ik zit ook in die groep waar zij in zitten,' ging Saskia verder, en ze wees naar de jongens. 'Vind je het hier leuk?'

'Een beetje rustig,' antwoordde ik.

'Dat is altijd in het weekend, dan is bijna iedereen op weekendverlof. Bij mij is het niet echt gezellig thuis, dus vind ik het niet erg om hier te blijven.'

We begonnen te kletsen over van alles en nog wat, en

voor ik het wist hing Piet al aan de telefoon. 'Wil je aan Merel vragen of ze wil komen eten?' vroeg hij aan Saskia.

'Hoe laat is het dan?' vroeg ik haar.

Ze keek op haar horloge. 'Vijf uur.'

'Is het al zo laat? Nou, dan ga ik maar. Bedankt voor de gezelligheid.'

'Ik bel je morgen wel weer,' zei Saskia.

'Ja, dat is goed, tot morgen.'

'Tot morgen,' zeiden de jongens. Ik deed mijn jas aan en liep terug naar het paviljoen. Binnen begroette Piet me op de gang. 'Heb je het naar je zin gehad?'

'Het was heel gezellig,' antwoordde ik.

'Gatver, met Saskia zeker? Dat kan niet,' zei een van de jongens die bij Piet stonden.

Piet begon te lachen. 'Kom, dan gaan we naar binnen,' zei hij. Ik liep met hen mee en schoof aan tafel, waar al vier jongens zaten. Grote bakken eten werden op tafel gezet en een van de jongens deed het deksel omhoog.

'Gatver, moet je kijken, we eten weer schoenzolen,' riep hij uit en hij haalde met een vork een stuk vlees uit de bak. Ik moest daar vreselijk om lachen.

'Lach jij maar, wacht maar tot je het gegeten hebt, dan piep je wel anders,' zei de jongen.

'Kom maar op met die schoenzolen,' zei ik. Ik nam een hap. Het was muisstil. Ik brak mijn kiezen zowat op het stuk vlees. Ze begonnen te lachen. Ze hadden gelijk. Wat was dit smerig.

Twee weken na het oriëntatieweekend werd ik geplaatst. Ik had het algauw reuze naar mijn zin in de groep en de tijd vloog om.

Op een zonnige vrijdagmorgen pakte ik mijn spullen in voor het eerste weekendverlof. Ik keek op de klok en zag dat het al half tien was. Om kwart voor tien kon ik naar het hoofdgebouw om geld op te halen om naar huis te gaan. Ik zou dan een envelop met gepast geld krijgen voor de trein en de bus. Om precies kwart voor tien nam ik afscheid van de leiding, wandelde naar het hoofdgebouw en kreeg daar mijn envelop. Ik moest het geld controleren en mijn handtekening zetten voor ontvangst.

Samen met een jongen uit mijn groep zou ik naar het station lopen. Het was zeker twintig minuten lopen door het bos voor je op het station was, maar dat maakte me niet uit. De jongen reisde een flink eind mee naar mijn stad, want zijn woonplaats was twee haltes eerder dan die van mij. We reisden allebei voor het eerst met de trein, wat het nog leuker maakte.

Na anderhalf uur was hij op de plaats van bestemming, en we spraken een tijd af om zondag met de trein terug te gaan. Dan konden we weer samen reizen, dat was wel zo gezellig. Twee haltes later stopte de trein in mijn woon-plaats. Ik stapte uit, liep het station uit en zag dat mijn moeder met de auto stond te wachten. Ik opende het portier en begroette haar. Het was wel vreemd om elkaar na zo'n lange tijd weer te zien, en nog vreemder om weer thuis te slapen. Maar ik had er wel zin in.

Toen we thuis waren, zei mijn moeder: 'Je moet maar kijken wat je dit weekend wilt doen. We laten je vrij, maar ik vind het wel prettig als je met het eten thuis bent.'

'Oké, dat vind ik een goed plan. Ik denk dat dat wel moet lukken, denk je niet?'

Mijn moeder gaf me een bevestigend knikje.

De avond verliep soepel. Het was zowaar heel ontspannen. We hingen lekker voor de buis tot om elf uur mijn stiefvader thuiskwam van zijn werk. Toen vond ik het genoeg geweest voor die dag en ging naar bed.

Ik wil morgenvroeg naar Mike om te kijken hoe het met hem gaat, dacht ik toen ik in bed lag. Sinds ik geplaatst was op het internaat had ik hem niet meer gezien. Misschien wist hij niet eens dat ik daar zat. Met die gedachte viel ik in slaap.

De volgende morgen zat ik rond een uur of elf op de fiets, op weg naar Mikes huis. Ik was benieuwd hoe het met hem was. Na een kwartiertje kwam ik aan in zijn straat en zag ik dat er naast het huis een auto met aanhanger stond. Terwijl ik mijn fiets op slot zette, kwam de buurman net uit Mikes huis naar buiten. Hij legde een eettafelstoel op de aanhanger, groette mij en ging weer naar binnen.

Op dat moment hoorde ik een auto achter mij stoppen. Ik draaide me om en zag een stevige vrouw en twee meiden van mijn leeftijd uitstappen.

'Hallo,' zeiden ze vrolijk.

'Hallo,' groette ik terug.

'We komen de bouvier halen,' zei de vrouw. 'Jij bent zeker Merel, of niet?'

Ik knikte. 'Wie ben jij dan?'

'Ik ben de zus van Mike en deze meiden zijn mijn dochters. We nemen de pup mee, dan is er in ieder geval nog een hond goed geplaatst. Als je hem wilt opzoeken, ben je altijd welkom. Ik weet hoe gek je met die honden bent.'

'Waar zijn de andere honden dan?' Ik snapte er niks van.

'De twee grootste zijn in het asiel en die andere pup wil Mike houden, dus die zit tijdelijk in het asiel,' antwoordde ze.

Op dat moment kwamen de twee meiden het huis uit met de hond. De hond zag me en sprong enthousiast tegen me op. Daarna sprong hij blij in de auto, op weg naar zijn nieuwe huis.

'Je weet het, hè? Als je hem wilt zien, bel je maar.' Mikes zus glimlachte naar me en stapte in de auto. Ze vertrokken en ik bleef ze verbaasd nastaren tot ze in de verte verdwenen waren.

Nog steeds verbaasd liep ik naar Mikes achtertuin en ging via de schuifpui naar binnen. In de woonkamer zag ik tot mijn schrik dat bijna alles weg was. Er stonden alleen nog een bankstel en een televisie. Ik liep de trap op om te kijken wat er boven gebeurde, want daar was de buurman druk bezig. Boven keek ik eerst in de kinderkamer van de oudste. Daar was ook alles weg. Nu snapte ik er helemaal niks meer van.

Ik liep snel naar de andere kinderkamer, duwde de deur hard open en zag dat ook die kamer helemaal leeg was, op het bed na. In een soort roes liep ik naar de deur van de kamer ernaast. Dat moest de kamer van Mike en Karin zijn.

Voorzichtig opende ik de deur en gluurde naar binnen. Hier stond een tweepersoonsbed met aan elke kant een soort porseleinen beeld met een lampenkap erop. Meer niet. Het was net of hier niet meer geleefd werd. Wat was er toch aan de hand?

'Die lampen zijn de enige waardevolle spullen die hij nog heeft,' zei de buurman, die plots achter me stond. Ik had hem niet horen aankomen. Ik draaide me naar hem om en zei: 'Kun je me misschien uitleggen wat hier aan de hand is?'

'Weet je dat dan niet?'

'Nee, ik weet alleen dat het niet veel goeds is,' antwoordde ik. Ik ging op de rand van het bed zitten.

'Mike ligt in het ziekenhuis. Hij heeft een flinke klap op zijn hoofd gehad.'

'Wie heeft dat gedaan?' vroeg ik geschrokken.

'Dat weten ze niet,' zei de buurman. 'Hij was met een vriend naar het buurthuis en dat draaide op vechten uit. Voor hij het wist hadden ze hem te pakken genomen met een paar man tegelijk. Ze zullen wel bang zijn geweest, anders pak je iemand wel alleen aan, toch? In ieder geval heeft hij een hersenschudding en mag hij van geluk spreken dat het zo goed met hem gaat.'

'Maar waarom zijn de honden dan weg?'

'Wie moet ervoor zorgen? Voor Mike is het veel te veel. Vier honden, dat gaat niet,' antwoordde de buurman.

'Maar Karin is er toch?'

'Die is naar Groningen gevlucht. Ik ben de enige die weet waar ze is, vandaar dat ik al haar spullen aan het inladen ben. Dan kan ze het ook afsluiten, hè? Ze was toch een ander type dan Mike. Ze was te netjes eigenlijk, gewoon te burgerlijk. Tja, leven met een ander soort volk, dat is moeilijk. Ze dacht dat ze hem kon veranderen, maar hij is en blijft toch een kwajongen.'

'Wanneer is ze weggegaan?'

'De avond dat ze hem te pakken hebben genomen. Hij dacht even zijn verdriet te kunnen vergeten door te gaan stappen, maar dat pakte een beetje anders uit.'

'Ze heeft echt alles meegenomen,' zei ik terwijl ik rondkeek. 'Hij is alles kwijt: zijn meubels, zijn vriendin... en waar zijn de kinderen?'

'Bij hun moeder,' antwoordde de buurman.

Arme Mike, dacht ik. Ik moet maar zo snel mogelijk naar hem toe en hem laten weten dat hij mij tenminste nog heeft, ook al weet hij niet dat ik niet meer thuis woon. Ik keek de buurman aan en vroeg: 'In welk ziekenhuis ligt hij?'

'Ga je naar hem toe dan?' vroeg hij. Ik knikte.

'Meisje, meisje, als ik jou was zou ik maar zorgen dat je nooit wat met hem te maken krijgt. Geloof mij maar, het is echt geen makkelijke jongen!'

'Ja, als iedereen zo denkt, dan houdt hij helemaal niemand over.' Verontwaardigd liep ik naar beneden. 'Ik vind het zelf wel, bedankt hoor!'

Na een kwartiertje heel hard fietsen kwam ik aan bij het ziekenhuis. Ik liep via de grote schuifdeuren naar binnen. In de hal, aan de rechterkant, was een informatiebalie, en in het midden van de hal hing aan het plafond een groot bord met alle namen en afkortingen van de afdelingen. Aan de linkerkant waren twee liftdeuren en achter in de hal was een grote ruimte met stoelen en tafels rond een kleine balie waar je wat te drinken kon bestellen. Het was heel moeilijk om die ruimte binnen te kijken, omdat er een blauw waas hing van sigarettenrook.

Ik wilde net naar de balie gaan om te vragen waar Mike was, toen ik Mikes stem hoorde. Het geluid kwam uit de ruimte waar de blauwe walm hing. Automatisch liep ik die kant op en in de deuropening zag ik dat Mike met een sigaret in zijn mond zat te lachen, samen met de zus die eerder die dag een van zijn honden was komen halen.

Ik bleef even in de deuropening staan en bedacht dat het vast al een stuk beter met hem ging. Er was een stuk verband om Mikes hoofd gewikkeld en zijn bewegingen waren wat voorzichtiger dan normaal, maar hij was zijn stoere praatjes duidelijk niet verleerd. Hij stond luidruchtig op te scheppen in de zaal. Ik moest daar wel om lachen. Het was in ieder geval een teken dat het goed met hem ging.

Op dat moment merkte Mike mijn aanwezigheid op. Hij keek me heel verbaasd aan. Ik liep naar hem toe. Heel voorzichtig kwam hij van zijn stoel en liep mijn kant uit. Nu zag hij er niet meer verbaasd uit, maar blij. Toen hij voor me stond, zag ik tranen in zijn ogen. Hij sloeg zijn armen om me heen en drukte zich heel stevig tegen me aan. Het enige wat ik kon doen, was hem ook vasthouden.

'Wat ben ik blij dat je er bent,' zei hij met zachte stem. 'Ik dacht dat ik jou ook kwijt was.'

Allerlei woorden schoten door mijn hoofd, maar ik kreeg er niet een over mijn lippen. Ik had zo'n medelijden met hem. Hij was gewoon een klein hoopje mens geworden met heel veel verdriet. Op dat moment zei zijn zus: 'Nou, broertje, komt het toch nog goed met je! Geef me een kus, want ik ga ervandoor.'

Mike draaide zich om en gaf zijn zus een zoen op haar wang. Ze klopte me op mijn schouders en zei: 'Zorg je dat hij het een beetje rustig houdt dit weekend?'

Ik beantwoordde haar vraag met een lach en keek haar samen met Mike na terwijl ze door de deur naar buiten liep. 'Bedankt nog, hè!' schreeuwde Mike haar na en ze reageerde door haar hand in de lucht te steken.

Mike leidde me naar een tafeltje en ging zitten op een van de stoelen die ernaast stonden. Hij trok me zachtjes op zijn schoot. 'Waar heb je toch al die tijd gezeten?' fluisterde hij. 'En weet je wat er allemaal is gebeurd?'

Ik durfde hem niet aan te kijken terwijl ik antwoord gaf en keek maar wat voor me uit. 'Ik heb je buurman gesproken toen ik bij je op bezoek wilde komen. Hij heeft me verteld dat Karin weg is en dat de kinderen naar hun moeder zijn.' Nu draaide ik mijn gezicht toch naar hem toe en bekeek zijn verwondingen wat beter.

'Ziet er eng uit, hè?' zei hij.

Ik knikte.

'Er zitten een paar hechtingen in. Je vindt me zeker wel superaantrekkelijk met dat verband om mijn hoofd, of niet dan?'

Ik moest lachen om die opmerking. 'Ik was echt geschrokken, hoor, toen ik zag dat de honden weg waren en hoorde dat je had geknokt en dat het niet goed was afgelopen,' zei ik zo serieus mogelijk.

Mike trok me tegen zich aan en zei: 'De kinderen zijn beter af bij hun moeder dan bij mij, nu ik niemand meer heb. En zodra ik uit het ziekenhuis ben, halen we jouw lievelingshond weer uit het asiel. Maar ik neem er maar eentje terug. Alle vier is me te veel, begrijp je dat?'

Ik keek hem aan. Hij had een heel matte uitdrukking in zijn ogen. Zo had ik hem nog niet eerder gezien. Ik moest in ieder geval eerlijk zijn, vond ik. Hij had nu gewoon te veel pech in zo'n korte tijd. Ik begon te stamelen: 'Eh... eh... om op je vraag terug te komen over waar ik geweest ben... Eh, ik woon niet meer hier in de stad.' Ik wendde mijn blik af en bleef maar naar de grond kijken, in de hoop dat ik de teleurstelling in zijn ogen niet hoefde te zien.

'Dat weet ik,' zei hij.

Verbaasd keek ik op. 'Dat wist je? Hoe wist je dat dan?'

'Dat doet er niet toe, maar ik weet al een tijdje dat ze je echt naar het internaat hebben gestuurd, zoals ze van plan waren. Dat is de reden dat Karin weg is. Ik wilde jou daarvandaan halen en je bij ons in huis nemen, maar dat wilde ze niet. Ze vond dat ik te veel bezig was met jou en te weinig met onze relatie. Ik probeerde haar uit te leggen dat ik gewoon veel om je geef en dat ze jaloers was. Maar ze had al besloten om weg te gaan. Ik vind het niet erg dat ze weg is. Ik heb jou toch immers?'

Weer wist hij me te charmeren met zijn gevlei. Maar hij moest toch weten dat ik na het weekend gewoon weer terug zou gaan naar het internaat.

'Ik vind het heel lief van je, maar ik wil helemaal niet bij jou wonen. Ik wil gewoon op het internaat blijven en gezellig bij je langskomen als ik verlof heb.'

'Oké,' zei Mike heel kalm. 'Maar ik wil je wel om een gunst vragen.'

'Wat dan?'

'Ik mag vandaag naar huis als er iemand voor me zorgt. Nou, ik kan heel goed voor mezelf zorgen, maar er moet getekend worden. Wil jij dat doen?'

'Ik kan niet al die tijd bij je blijven, dat vindt mijn moeder nooit goed,' antwoordde ik, verbaasd dat hij dit aan mij vroeg.

'Nee, dat verwacht ik ook niet van je. Als je tekent, mag ik naar huis en daar zorg ik wel voor mezelf. Ik kan altijd mijn zus nog bellen.'

Ik keek even op en zag in zijn gezicht dat hij me bijna smeekte om te tekenen.

'Oké,' zei ik. 'Op je eigen risico.'

Hij pakte mijn hoofd vast en gaf me een zoen op mijn mond.

De dagen na het eerste weekendverlof waren allemaal zo'n beetje hetzelfde op het internaat. Om half acht op, eten, douchen en naar school. Tussen de middag eten en hup, weer naar school. Na schooltijd even naar de soos of met Marja giechelen.

Marja was mijn vriendinnetje op het internaat. Ze zat in een andere groep, maar dat maakte het juist zo leuk. Marja was een jaar jonger dan ik en heel geliefd in haar groep. Als we om een uur of vijf de etenskarren richting de groepen zagen rijden, wisten we dat we snel naar onze eigen groep moesten om te eten. Dat was een van de regels: met z'n allen aan tafel.

Elke dag om precies zes uur belde Mike. Ik at dus altijd snel en ging daarna zitten wachten tot hij belde. Meestal was dat als we nog aan tafel zaten met het toetje. Gelukkig lustte ik dat niet. Als de buitenlijn van de telefoon door de gang rinkelde, schreeuwde ik: 'Mike!' Dan vloog ik van mijn stoel naar de leiderskamer. Mike belde altijd vanuit de telefooncel en daarom hadden we die tijd afgesproken. Hij was er dan zeker van dat ik er was.

Meestal duurden onze gesprekken maar vijf minuten en gingen ze niet dieper dan dat Mike vertelde dat hij me miste, dat ik altijd bij hem kon wonen en dat ik me nergens druk over hoefde te maken. Hij zou dan voor me zorgen en we zouden het rijk voor onszelf alleen hebben. Ik kon hem er gelukkig elke keer van overtuigen dat ik op het internaat op de beste plek zat, dat ik het fijn vond dat hij me elke dag belde en dat ik uitkeek naar zijn telefoontjes. Meestal eindigden de gesprekken met een pieptoon, omdat de kwartjes op waren.

Op een dag zei hij ineens: 'Ik hou van je. En elke dag dat je er niet bent, mis ik je.' Op dat moment kwam Piet de kamer in lopen. Hij vroeg me iets. Ik schrok zo dat ik met mijn hand het verbindingsknopje indrukte en de lijn verbrak.

'Wat is er?' vroeg Piet.

Ik keek verbaasd naar hem en toen weer naar de telefoon. 'Ik eh... heb de lijn verbroken,' zei ik en ik barstte in lachen uit.

'Wat is daar zo grappig aan?' vroeg Piet en hij ging zitten op de rand van het bureau waar de telefoon op stond.

'De stoere Mike zegt dat hij van me houdt! Haha, wie had dat ooit gedacht!'

'En jij?' vroeg Piet ernstig. 'Hou jij ook van hem?'

Het lachen verging me ineens en ik besefte dat het ernst was. 'Of ik ook van hem hou? Hmm, dat weet ik niet. Ik vind hem heel aardig. Ik voel me door hem belangrijk en bijzonder en zeker heel veilig. Het geeft me een heel machtig gevoel dat er zo iemand achter me staat die me wil beschermen. Maar of ik van hem hou? Tja, misschien wel, maar ik denk niet op de manier die hij bedoelt.'

'Ben je verliefd?'

Ik bloosde.

'Ja dus,' zei Piet.

'Ik denk het wel. Ik wacht altijd vol spanning tot hij belt en kan niet wachten om hem te zien op verlof. Hij heeft al een paar keer gezegd dat hij me komt halen als ik wil en dat ik dan bij hem kan blijven.'

'Wil je dat dan ook?' vroeg hij.

'Nee,' zei ik. 'Ik weet dat mijn plek hier is en ik weet waarom ik hier zit. Ik heb het naar mijn zin hier, dus daar twijfel ik niet aan.'

Op dat moment ging de telefoon weer en werd ons gesprek onderbroken. Ik nam op. 'Hallo?'

'Wat deed je nou?' klonk het aan de andere kant. 'Ik vertel je dat ik van je hou, Piet komt binnenlopen en je verbreekt gewoon meteen de verbinding! Zeg maar niet dat het niet zo is, want ik hoorde hem zelf op de achtergrond. Ik heb je toch gezegd dat die Piet niet veel soeps is. Als je wilt, maak ik hem wel een kopje kleiner.'

Terwijl ik naar hem luisterde, wuifde ik naar Piet dat hij de kamer kon verlaten. Toen hij de deur achter zich dichtdeed, probeerde ik Mikes getier te onderbreken, maar dat lukte niet echt.

'Ik moest helemaal terug naar huis lopen om kwartjes te halen om weer te kunnen bellen. Wil je me dat nooit meer flikken?' zei Mike nu nog bozer.

'Ik schrok toen Piet binnenkwam,' zei ik, 'en door de schrik drukte ik je weg.'

Even was het stil aan de andere kant. 'Hou je ook van mij?' vroeg Mike.

Ik antwoordde niet. Ik wist geen woord uit te brengen. Ik sloeg helemaal dicht.

'Nou,' vroeg Mike, 'doe je nou zo omdat die klootzak nog steeds naast je staat?'

'Je hoeft niet zo te katten op me,' zei ik. 'En nee, hij is alweer weg. Doe in godsnaam niet zo jaloers. Ik ga hangen. Ik hoor je morgen wel. Sorry dat ik de verbinding verbrak, maar je moet niet denken dat ik dat expres deed om jou te pesten.'

'Nee, dat zou helemaal mooi zijn. Ga maar lekker terug naar je Piet en als je geluk hebt, bel ik je morgen weer,' zei Mike nijdig. 'Ik pak hem nog wel, die gozer. Let maar op mijn woorden!'

Ik kon het niet laten hem te zeggen dat hij vooral wat vrolijker moest zijn als hij de volgende dag belde. Nu was het Mike die de verbinding verbrak.

Ik liep de leiderskamer uit. Die gekke Mike, die was jaloers op Piet. Haha, op Piet nog wel! Ik moest toegeven dat hij de leukste en makkelijkste leider van het internaat was. Tussen Piet en mij klikte het gewoon goed, en Mike voelde dat natuurlijk.

De volgende dag belde Mike gewoon weer op, net als de dagen erna, steeds op dezelfde tijd. Piet was nog steeds niet zijn vriend en Mike kon zich erg over hem opwinden. Zeker als ik net iets te veel over hem vertelde, kon hij vreselijk jaloers reageren. Stiekem vond ik dat wel vleiend.

Het was weer vrijdag, en dat betekende: weekendverlof. Ik had 's morgens voordat ik naar school ging mijn tas al gepakt, zodat ik meteen om half twee naar de trein kon rennen. Ik was ontzettend nerveus en had kriebels in mijn buik. Met Mike had ik afgesproken dat hij me van het station zou komen halen. Ik kon aan niets anders denken terwijl ik afscheid nam van de dienstdoende leiding. De jongen met wie ik altijd meereisde stond al op me te wachten, en toen ik mijn geld voor de trein had gekregen, liepen we samen naar het station.

'Wat ben je stil,' merkte hij op toen we tegenover elkaar zaten in de trein.

Ik begon een beetje te giechelen, maar bleef door het raam naar buiten kijken.

'Je wordt rood, wat heb je te verbergen?'

Ik draaide me naar hem toe, keek hem aan en zei fel: 'Hoezo rood? Je weet niet waar je het over hebt.' Ik zuchtte. 'Oké, ik ben een beetje nerveus. Volgens mij wordt het een leuk weekend en als ik straks aankom, staat Mike op me te wachten. Weet je, we zijn vanavond uitgenodigd om bij mijn moeder en stiefvader te gaan eten. Hoe vind je dat?'

Hij begon te lachen. 'Je bent gewoon verliefd! Je zit te

glunderen en volgens mij wil je zo snel mogelijk thuis zijn. Ja toch, of niet dan?'

Ik haalde mijn schouders op en keek weer uit het raampje naar buiten. Ik zuchtte weer.

'Oké,' ging hij verder, 'ik hou mijn mond wel. Het is je vergeven dat je zo ongezellig bent.' En ook hij ging naar buiten zitten kijken, in gedachten verzonken.

Na een klein half uurtje naderden we zijn station. Mijn reisgenoot stond op, tilde zijn tas uit het rek, zwaaide de tas over zijn schouder en zei: 'Merel, een heel fijn weekend. Maak geen ruzie thuis, anders zitten we volgende week niet meer samen in de trein. Je weet het, je moet een weekendverlof overslaan als er thuis ruzie is geweest. Dus probeer je in te houden, oké?'

'Ik zal mijn best doen. Als ze een beetje normaal doen tegen Mike, zullen er geen problemen komen.'

'Oké,' zei hij lachend. 'Ik zie je zondag op de normale tijd weer in de trein terug.'

'Yep. Jij ook een fijn weekend en tot zondag.' Zo namen we afscheid. De trein reed verder naar mijn bestemming. Een kwartiertje later stopte de trein bij het station waar ik eruit moest. Ik pakte mijn tas, schoof hem over mijn schouder en liep naar het balkon. Het kon mij niet snel genoeg gaan. Het leek wel een uur te duren voordat de trein werkelijk stilstond en ik de deur open kon doen. Ik sprong uit de trein, stak het perron over en keek om me heen of ik Mike ergens zag. Ja hoor, daar in de verte zag ik hem staan! Hij kwam mijn kant op lopen. Ik rende naar hem toe en vloog hem om de nek. Hij gaf me een zoen en vroeg: 'Heb je een goede reis gehad?'

'Ja hoor. Hetzelfde als anders, niets bijzonders.'

Mike sloeg een arm om me heen en we liepen het perron af op weg naar de bus. We gingen meteen door naar mijn moeder.

Bij de bushalte zagen we dat we de bus net hadden gemist en dat we zeker nog een kwartier moesten wachten. Dat was voor mij geen probleem, want zo kon ik nog even met Mike alleen zijn. Maar toen begon het te regenen, en omdat Mike geen jas aanhad, begon hij geïrriteerd rondjes te lopen en te mopperen. 'Kom dan in het hokje staan,' zei ik tegen hem, maar hij reageerde niet. Ik zag aan zijn gezicht dat er iets mis was.

'We pakken een taxi. Kom op.' Mike pakte me bij mijn arm en trok me mee naar de taxistandplaats. Het regende steeds harder, dus holden we naar de eerste de beste taxi die we zagen. Mike opende het portier voor mij, zodat ik op de achterbank kon gaan zitten. Op dat moment stapte de taxichauffeur uit en zei: 'Hé, dat kan zomaar niet. Deze taxi is gereserveerd. Je kunt niet zomaar instappen.'

'O, nee?' zei Mike. 'Moet je eens zien wat wij kunnen.'

Ik trok mijn arm los uit Mikes greep en deed een paar passen achteruit. Ik keek om me heen. Iedereen op het station keek naar ons, maar niemand durfde iets te doen. Ik schaamde me rot, want ook al vond ik Mike stoer, het was niet prettig om zijn ruige gedrag in het echt mee te maken. De taxichauffeur liep om zijn auto heen naar Mike toe. Hij wist duidelijk niet wie hij voor zich had. Hij wilde Mike tegenhouden. Op dat moment verloor Mike zijn zelfbeheersing en begon hij de arme man te slaan en te schoppen.

Ik schrok en wilde Mike tegenhouden, maar ik wist niet hoe. Iedereen om me heen wendde zijn gezicht af en deed of er niets aan de hand was. Ik moest dus zelf iets doen.

Toen de taxichauffeur op de grond lag, begon ik aan Mikes arm te trekken. Op hetzelfde moment kreeg ik een klap in mijn gezicht. Ik stond te tollen op mijn benen en greep naar mijn neus. Die deed ongelooflijk zeer. Zou hij gebroken zijn? schoot het door me heen. Blijkbaar schrok Mike van zichzelf. Hij keek naar mij op en vergat de taxichauffeur. De man deed zijn portier open en liet een alarm afgaan, een geluid dat door merg en been ging. Honderd meter verderop was een politiebureau. Daar was Mike wél bang voor.

Toen hij zag dat onze bus eraan kwam, trok Mike me overeind en sleurde me mee de bus in. We gingen op de achterste bank zitten. Met mijn hand voor mijn neus keek ik naar buiten. Ik was helemaal van slag. Hoe kon hij nou denken dat hij zijn zin kon krijgen door te gaan slaan? Die man deed toch zeker ook alleen maar zijn werk?

Mike pakte mijn handen vast en wilde ze weghalen van mijn neus. Ik keek nog steeds naar buiten, sprakeloos van woede.

'Laat me eens kijken.' Mike trok mijn handen weg. 'Het valt wel mee. Hij is niet gebroken, het bloedt alleen maar,' zei hij. Toen durfde ik hem weer aan te kijken.

Hij veegde met zijn mouw het bloed van mijn gezicht en kuste voorzichtig mijn pijnlijke neus. Bij elk kusje zei hij: 'Sorry, sorry, het was niet mijn bedoeling om jou ook te pakken. Ik zag niet dat jij het was. Kun je het me vergeven?'

Ik bezweek voor zijn kusjes en geloofde hem. 'Ik vergeef het je, als je zulke streken nooit meer uithaalt waar ik bij ben. Die man deed alleen maar zijn werk!' zei ik, al wat minder boos.

Hij knikte en trok een overdreven beteuterd gezicht in

de hoop mij aan het lachen te krijgen. Maar ik draaide mijn hoofd weg en keek weer naar buiten, terwijl ik me afvroeg hoe ik dit thuis moest uitleggen.

De avond thuis verliep goed. Je kon duidelijk merken dat mijn moeder en stiefvader hun best deden om het gezellig te maken. Ik hield mijn mond over de vechtpartij en als er al iets aan me te zien was, zeiden ze daar niets over. Na het eten ging Mike netjes naar huis en de rest van de avond werd er niet meer over hem gesproken. Ik ging lekker vroeg naar bed en staarde naar het plafond.

Had ik nou verkering met Mike? vroeg ik me af. Hij had het me niet gevraagd, maar volgens mij waren we wel een stelletje. Ik kreeg een lekker gevoel in mijn buik bij die gedachte. Ja, Mike en ik waren een stelletje! Ik had dus echt wel verkering! Wauw, ik had voor het eerst een vriendje, fantastisch! Die klap in mijn gezicht was niet leuk geweest, maar het was vast een ongelukje. Het was toch duidelijk dat hij er zelf ook enorm van was geschrokken, en daarna had hij het meer dan goed gemaakt met zijn kusjes en zijn lieve woorden.

Blij viel ik in slaap.

Ik lag nog in bed toen ik voelde hoe de zon door het raam op mijn dekbed scheen. Ik draaide me om en zag op de wekker dat het tien uur was. Een mooie tijd om op te staan, dacht ik en ik stapte uit bed en onder de douche. Een half uurtje later reed ik met een boterham in mijn hand op de fiets naar Mike.

Er was die dag feest in de stad. Het grootste spektakel was een muziekfestijn waarbij tv-opnames gemaakt zouden worden. We zouden met een hele groep bij Mike verzamelen en dan met z'n allen de stad in gaan om flink te feesten. Na een kwartiertje kwam ik in Mikes straat aan. Ik liep via de achtertuin door de schuifpui naar binnen en zag dat Mike niet in de woonkamer zat. 'Hallo!' riep ik hard. Omdat ik me inmiddels al helemaal thuis voelde in het huis, liep ik naar de keuken om koffie te zetten. Sinds die eerste keer op het internaat was ik koffie zowaar steeds lekkerder gaan vinden, en nu had ik er echt trek in. Ik hoorde een hoop gerommel en gestommel boven en toen voetstappen op de trap. Mike kwam de keuken binnen met zijn broek nog open en zijn sokken in de hand. Hij gaf me een zoen en leunde tegen het aanrecht om zijn sokken aan te doen.

Terwijl ik de schepjes koffie telde, vroeg Mike: 'Heb je er een beetje zin in?'

'Waarin?'

'In het feest natuurlijk!'

Ik begon te lachen. 'O, het feest! Ja, dat lijkt me wel leuk. Wat gaan we eigenlijk doen?'

'We fietsen in ieder geval met z'n allen naar de stad en daar zullen ze wel op de markt gaan rondhangen. Ik wil het rustig houden, ik blijf lekker bij jou. Zullen we wat gaan drinken op een terrasje?'

'Ja, dat is goed, gezellig!' Ik verheugde me erop Mike even voor mezelf te hebben.

Opeens hoorde ik de schuifpui opengaan. 'Hallo!' werd er luid geroepen.

We liepen naar de woonkamer en zagen dat Mikes vrienden binnenkwamen en zich op de bank installeerden. Ik bekeek ze vanuit de deuropening van de keuken en zag dat het allemaal net zulke types waren als Mike. Tatoeages, stoer gekleed, flink gespierd en ruige praat. Ze begroetten me zodra ze me zagen en riepen: 'Koffie!'

Ik draaide me om en bedacht dat het maar goed was dat ik een hele pot had gezet. Daar ging mijn rust met Mike. Maar ja, we zouden straks samen een terrasje pakken, dus dat was leuk.

In de keuken zette ik de kopjes vast klaar op het aanrecht. Opeens stond een van de jongens achter me en zei: 'Pas je wel op met Mike?'

Verbaasd keek ik om en zag een vrolijk gezicht, dat me nu echter ernstig aankeek. Ik had de jongen wel eens vaker gezien, bij het zwemmen in de vaart. Hij was het minst stoer van allemaal. Eigenlijk was hij de leukste van het hele stel. Daarom was ik heel verbaasd dat hij me nu juist voor Mike waarschuwde.

'Je kunt nu nog weg,' zei hij.

Ik leunde tegen het kastje en hij leunde tegenover me tegen het aanrecht. 'Wat bedoel je?' vroeg ik.

'Je verdient beter,' zei hij op gedempte toon. 'Hij is gek, weet je. Je kunt hem echt niet veranderen. Hij verandert ook niet voor jou. Geloof me, een vos verliest wel zijn haren, maar niet zijn streken. Hij komt uit een heel ander milieu dan jij. Je gaat eraan kapot als je bij hem blijft, echt. Hij laat je nooit meer gaan, hij is helemaal bezeten van je. Nu belooft hij je nog een mooie wereld, maar als je een obsessie voor hem wordt en iets hem niet zint, maakt hij je kapot. Geloof me, nu heb je nog een kans dat hij over je heen komt. Als je verdergaat, heb je geen schijn van kans en zul je de politie als vriend moeten hebben, anders ben je er geweest.'

Ik wist niet wat ik hoorde. Mike was geen lieverdje, maar ik wist zeker dat hij me niks zou doen. De jongen pakte een stukje papier uit zijn broekzak, schreef er iets op en overhandigde het me. Verbaasd keek ik wat erop stond. Het was een telefoonnummer.

Het enige wat ik kon stamelen, was: 'Bedankt voor de zorgen, maar...'

Ik kon mijn zin niet afmaken. Mike kwam de keuken binnen en keek heel zuur toen hij ons zag staan. Gauw stopte ik het papiertje in mijn zak.

De jongen had Mikes blik begrepen. Terwijl hij de keuken verliet, zei hij: 'Als je ooit hulp nodig hebt, ben ik er voor je.' Met die woorden liet hij ons achter.

Mike keek mij doordringend aan en vroeg: 'Wat wou hij?'

Ik draaide me om, in een poging de verwarring op mijn gezicht voor Mike te verbergen, en trok mijn schouders op. 'Niets. Hij bood zijn hulp aan als er ooit problemen waren op het internaat,' loog ik.

'Maar ík ben er toch voor je?' zei Mike. 'Die jongen is verliefd op je. Daar ga je toch zeker niet op in?'

Ik wilde met de koffie naar de woonkamer lopen, maar Mike hield me tegen door in de deuropening te gaan staan. Hij pakte mijn kin vast zodat ik hem wel moest aankijken en zei: 'Ik vroeg je wat,' snauwde hij.

Ik keek hem aan. 'Ik heb je wel gehoord. Laat me erdoor.' Ik duwde hem weg. Mike moest de afschuw in mijn stem hebben gehoord, want hij schrok en deed een stap opzij. Toen ik langs hem liep, hield hij mijn arm vast, waardoor ik niet verder kon.

'Sorry,' zei hij. 'Ik bedoelde het niet zo.'

Ik trok me los en liep naar binnen. Toen ik de kopjes op tafel zette, merkte ik dat ik ze harder neerzette dan ik van plan was. Kennelijk was het iedereen opgevallen, want het was opeens stil in de kamer. Ik voelde dat die jongen me aankeek, maar ik durfde niet terug te kijken.

Toen de koffie op was, zette ik de kopjes in de keuken. Iedereen was al buiten bij de fietsen. Gauw liep ik de kelder in. Onder aan de trap verstopte ik het briefje met het telefoonnummer. Mike mocht dit nooit te weten komen.

We vertrokken naar de stad. Mike zat bij mij achterop en hield me stevig vast. 'Ik bescherm je wel,' zei hij terwijl hij het verkeer om ons heen met een hoop gebaren duidelijk maakte dat er niet met hem te spotten viel. 'Dit is mijn wereldwijf!' riep hij tegen iedereen. Weer voelde ik me gevleid. Ik was alles vergeten wat er daarvoor was gebeurd.

Na een half uurtje waren we in de stad. We zetten onze fietsen in een steegje en terwijl ik nog met mijn slot bezig was, zei een van de jongens: 'Wie gaat er mee naar de markt? We zullen ze eens even laten zien dat wij er zijn!'

Ze begonnen al in de richting van de markt te lopen, maar zagen toen dat Mike nog bij mij stond. Een van de jongens riep: 'Hé, Mike, ga je niet mee?'

'Nee,' antwoordde Mike. 'Ik blijf bij Merel, ik hou het rustig vandaag.'

'Weet je het zeker?' vroeg de jongen.

Ik keek naar Mike om te zien wat hij zou zeggen. Ik zag aan zijn gezicht dat hij mee wilde.

'Echt, ik weet het zeker,' riep Mike. Hij draaide zich om en sloeg een arm om me heen. Samen liepen we naar een terrasje in een steeg net achter het plein waar het feestgebeuren was. Op het terras vond ik een tafeltje midden in de zon. Mike liep naar binnen om wat te drinken te halen. Even deed ik mijn ogen dicht om te voelen hoe de zon op mijn gezicht scheen.

'Hé, lekker wijf!' hoorde ik Mike roepen. Ik deed mijn ogen open en zag dat Mike het niet tegen mij had. Met onze drankjes in zijn hand liep hij naar een meisje toe dat met haar ene been over de stang van haar racefiets hing. Met haar andere been op de stoep bewaarde ze haar evenwicht. Ze wisselden een paar zinnen met elkaar; toen stapte het meisje van haar fiets, die ze achteloos tegen een muur zette. Samen kwamen ze mijn kant op.

'Dit is Kelly,' stelde Mike haar voor.

'Hallo, kom erbij,' zei ik.

Kelly ging zitten. Op dat moment kwam een van de jongens door de steeg gerend en schreeuwde: 'Mike, Mike, kom gauw! We hebben je hulp nodig! Het is knokken! Kom gauw!'

Mike vloog overeind. De stoelen vielen om en de drankjes wankelden heen en weer op tafel. Mike wist niet hoe snel hij weg moest komen. Daar gaat-ie, dacht ik. Dit is Mikes leven. Ik moest ook meteen weer denken aan wat die jongen vanmorgen had gezegd.

'Waar ken je Mike van?' onderbrak Kelly mijn gedachten.

'O,' zei ik, 'ik heb hem leren kennen via een kennis van school.'

'Maar je bent toch zijn vriendin?'

'Ach,' zei ik zo laconiek mogelijk, 'ik weet het niet. Waar ken jij hem trouwens van?'

'Ik ken hem eigenlijk niet zo goed. Ik ken zijn broer, die werkt in het buurthuis bij ons in de buurt. Mikes broer heeft geen contact meer met hem. Hij waarschuwt altijd iedereen om bij Mike uit de buurt te blijven.'

'Goh, dat is grappig. Vanmorgen ben ik door een van zijn vrienden gewaarschuwd om uit te kijken, en nu doe jij dat ook al. Ik weet niet zo goed wat ik daarmee moet.'

'Ik ook niet,' zei Kelly. 'Ik vind hem eigenlijk wel aardig.'

'Ik ook!' We moesten allebei lachen. We pakten ons drankje en proostten op Mike. Even was het stil.

Opeens schoof er een man bij ons aan. We keken verrast naar hem. Hij steunde met zijn ellebogen op tafel en met zijn hoofd in zijn handen. Hoofdschuddend zei hij: 'Wat is dit erg. Dit heb ik nog nooit meegemaakt.'

'Wat heb je nog nooit meegemaakt?' vroeg ik.

Hij keek op. Nu zag ik tot mijn verbazing dat het de presentator van de tv-opnames was. Hij keek me wanhopig aan. 'Ze gooien eieren naar de artiesten. Nu is het hele plein aan het vechten. Er is overal politie. Het is een zooitje. Er zouden tv-opnames zijn, maar die gaan nu niet door. Ik kom hier nooit meer terug. Ik vind het doodeng!'

Ik keek naar Kelly en wist dat zij hetzelfde dacht als ik: Mike was daar aan de gang. We zeiden geen van beiden iets.

'Hier, neem maar een biertje,' zei Kelly en ze reikte hem er een aan. De man stond op en liep naar een andere man, die net uit een steegje kwam dat naar de markt leidde. Kelly en ik keken hen na en zagen hoe ze in de menigte verdwenen.

'Zullen we maar naar huis gaan?' vroeg Kelly.

'Ja, goed idee. Hier hebben we toch niets meer te zoeken,' antwoordde ik. 'Zullen we dan naar jouw huis gaan, of naar dat van Mike?'

'Ik moet me nog even omkleden thuis, maar ik woon hier niet ver vandaan. Daarna kunnen we bij Mike gaan zitten. Die is voorlopig toch niet thuis,' zei Kelly.

'Nee, dat is waar,' zei ik lachend. We stonden op, pakten onze fietsen en reden naar Kelly's huis.

Na het feest in de stad trokken Kelly en ik, als ik met verlof was, bijna iedere dag samen op. We waren uit hetzelfde hout gesneden, alleen woonde zij thuis en zat ik op het internaat. Elk weekendverlof verliep hetzelfde. Ik verdeelde de tijd tussen mijn moeder, Mike en Kelly. Ik moet zeggen dat het perfect ging.

Op het internaat gingen er een paar weken voorbij zonder dat er iets bijzonders gebeurde. Ik ging elke dag met plezier naar school. De groep waarin ik zat, was erg gezellig. Ik kon het goed met de jongens vinden. Zij vonden Mike wel interessant, en als om zes uur de buitenlijn ging, gilden ze in koor: 'Mike!'

Toen er een open dag werd gehouden op het internaat mocht Mike zelfs blijven slapen, dankzij Liza, een groepsleidster die me graag mocht en een goed woordje voor ons had gedaan. De voorwaarde was wel dat hij in een eigen kamer sliep. Dat vond ik geen probleem. Hij was tenslotte mijn eerste vriendje; ik was nog nooit met een jongen naar bed geweest. Mike had al vaak genoeg uitgeprobeerd hoever hij kon gaan, maar ik vond dat het bij zoenen moest blijven, meer niet. Ik was nog helemaal niet toe aan meer, ik vond het doodeng.

Mike probeerde 's avonds natuurlijk wel mijn kamer in te glippen, maar hij had de pech dat Piet dienst had. Dat viel natuurlijk helemaal verkeerd bij Mike, maar er was nou eenmaal een afspraak en daar moest hij zich aan houden. Voordat Piet naar bed ging, kwam hij nog even langs om te vragen of alles goed was en of ik niet van plan was stiekem naar Mike toe te gaan. Ik was een beetje verbaasd over zijn bezorgdheid en verzekerde hem dat ik dat niet van plan was. Daar nam hij genoegen mee.

De volgende dag werd een erg gezellige dag. Mike en ik waren aldoor samen. Ik merkte dat Mike graag alleen met mij wilde zijn, maar Saskia was niet bij ons weg te slaan. Ze probeerde tevergeefs indruk te maken op Mike.

Ik had beloofd om Liza die dag te helpen, maar was dat helemaal vergeten. Toen Mike 's avonds weer naar huis was vertrokken, kreeg ik daar natuurlijk wat over te horen. Ze zocht me op in mijn kamer en las me flink de les. 'Ik ben teleurgesteld in je,' zei ze. 'Je hebt mij de hele dag alles alleen laten doen. Ik heb me wel aan mijn afspraak met jou gehouden en ervoor gezorgd dat Mike hier mocht slapen. Dat heb ik voor jou gedaan en nu zou jij mij helpen.' Ze had gelijk, het was niet netjes van me. Ik voelde me vreselijk schuldig.

Desondanks had ik een leuke dag gehad. Ik had wel duidelijk gevoeld dat Mike ouder was dan ik. Hij was eigenlijk maar met één ding bezig: proberen om met mij te vrijen. Terwijl ik bezig was met plezier maken. Ach, mijn tijd komt nog wel, dacht ik.

Het werd zomer. Iedereen ging met vakantie. Op het internaat was maar één groep open, voor degenen die niet naar huis konden in de vakantie.

Ikzelf had drie weken vrij. De eerste week ging ik op ponykamp. Dat vond ik geweldig. Paarden waren mijn hobby, en ik kon daar elke dag met paarden bezig zijn. Ook vanuit het ponykamp belde ik elke dag om zes uur 's avonds met Mike. Na een paar dagen moest ik toch wel toegeven dat ik hem en Kelly begon te missen, en dat vertelde ik hem ook. Hij zei meteen weer dat hij me dan zou komen halen, maar dat vond ik zonde van mijn moeders geld. Toen ik ook nog vertelde dat ik een aanvaring had gehad met iemand van de leiding, werd hij boos. Zo boos, dat hij de volgende dag op de manege verscheen met een vriend van hem.

'Ik zal hem wel een kopje kleiner maken, degene die jou lastigvalt,' zei hij. Gelukkig wist hij niet om wie het ging, en ik was niet van plan hem dat te vertellen; ik schaamde me dood. Toen hij wat was gekalmeerd ging hij godzijdank gewoon naar huis. Voordat hij vertrok, zoende hij me en verzekerde me dat ik hem altijd kon bellen. Hij zou meteen komen. Dat laatste had ik nu wel in de gaten.

Na die gebeurtenis deed iedereen opeens poeslief tegen

me. Stiekem genoot ik daar wel van. Ik voelde me onwijs stoer!

De tweede week logeerde ik bij mijn moeder. Dat was wel gezellig, maar een beetje saai. Kelly en ik zaten veel bij Mike. Ik zorgde dat ik netjes op tijd thuis was voor het eten. Ik wist inmiddels wel hoe ik thuis de vrede kon bewaren.

Gelukkig mocht ik de laatste week van mijn vakantie bij Paula logeren. Mijn moeder zat die week op de camping en daar had ik helemaal geen zin in. Nee, dan liever een week bij Paula. Lang leve de vrijheid!

Elke morgen fietste ik rond een uur of tien naar Kelly, om daarna samen naar Mike te gaan. Kelly had sinds enige tijd een oogje op Erik, een vriend van Mike. Ik vond hem niks. Hij was arrogant en lelijk. Maar ja, Kelly was helemaal te gek, dus ik hield mijn mond.

Ook die ochtend hadden we weer afgesproken. Ik wachtte bij Kelly thuis op de bank tot ze naar beneden kwam. 'Hoe vind je mijn haar zitten?' was het eerste wat ze vroeg toen ze binnenkwam.

Ik keek op en zag eigenlijk niets bijzonders. 'Precies zoals altijd.'

'Denk je dat Erik mij er zo goed uit vindt zien?'

'Ik denk het wel,' zei ik. Ik stond op van de bank en liep naar de deur. Kelly deed haar jas aan, liep achter mij aan naar buiten en we gingen op weg.

Bij Mikes huis aangekomen, keek Kelly zoekend om zich heen.

'Wat zoek je?' vroeg ik.

'O, niks. Ik keek of Eriks auto er stond.'

Ik moest lachen. 'Nee, joh. Die ligt nog in zijn bed,' zei ik terwijl ik achterom liep. Ik wilde net de schuifpui opendoen, toen ik een man en een vrouw op de bank zag zitten.

'Dat is Barbara, de ex-vrouw van Mike,' wist Kelly, die intussen achter me was komen staan.

'En wie is die man dan?' vroeg ik.

'Haar pooier, denk ik,' zei Kelly.

Verbaasd keek ik om naar Kelly. 'Haar pooier?' Ik wist niet wat ik hoorde. Mikes ex speelde de hoer! Vandaar dat ik indertijd niet naar zijn ex mocht vragen van Anne. Dat lag natuurlijk gevoelig. Arme Mike.

Terwijl we daar zo stonden te gluren, kwam Mike door de keukendeur de kamer binnen en zag ons buiten staan. Hij kwam op ons af en deed open. 'Dacht je dat hij op slot zat?' vroeg hij.

'Nee joh, maar Merel heeft kippenkracht, dat weet je toch,' zei Kelly.

Gelukkig, dacht ik. Daar heeft ze me mooi uit gered.

We liepen naar binnen en knikten onhandig naar het stel op de bank.

'Dit zijn Barbara en Ron,' zei Mike. Ik liep naar ze toe om hen de hand te schudden. Barbara stond op. Ik zag dat ze niet veel ouder was dan ikzelf. Misschien een jaar of vijf ouder, meer niet. Ze had halflang donker krullend haar, en grote gouden oorbellen in. Haar slanke benen had ze in een strakke jeans geperst, met daaronder pumps met hoge hakken. Ze gaf me een hand en stelde zich voor.

Daarna wendde ik me tot Ron. Terwijl we elkaar de hand schudden, observeerde ik hem stiekem. Het was niet zo'n grote man. Hij had krulletjes en droeg heel veel gouden sieraden.

'Willen jullie ook koffie?' vroeg Mike terwijl we op de andere bank gingen zitten.

'Ja, lekker,' antwoordde Kelly voor ons beiden. Mike liep naar de keuken en er viel een stilte in de kamer.

Barbara verbrak de stilte en vroeg: 'Ben jij Mikes nieuwe vriendin?'

'Eh, ja,' stamelde ik. 'Misschien niet zoals je bedoelt, maar...'

Mike onderbrak me. Vanuit de keuken riep hij: 'Tuurlijk is ze mijn meisje. In Merels ogen is het platonisch, maar daar komt heus wel verandering in als ze eraan toe is.'

Ik wist niet waar ik moest kijken en mijn hoofd werd vuurrood. Kelly, Barbara en Ron barstten in lachen uit. Ondanks mijn gêne moest ik er ook om lachen, want Mike had eigenlijk wel gelijk. Al hadden we geen seksuele relatie, de gedachte eraan vond ik stiekem wel spannend, maar ook doodeng. Ik verzon steeds smoezen, die hij tot nu toe slikte. Maar hoe lang nog?

Het ijs was meteen gebroken en het werd een gezellige middag. Barbara praatte veel over de kinderen, die sinds Karins vertrek bij haar woonden. Ron vertelde stoer dat hij een rode sportauto had, een Jaguar met witleren bekleding. Ik wist niet eens wat een Jaguar was. Dat hij indruk wilde maken, was me wél duidelijk.

Toen we na afloop buiten bij de fietsen stonden, zei Kelly dat hij ons misschien wel achter het raam probeerde te krijgen. Ik keek haar verschrikt aan. 'Grapje!' zei ze.

'Ik vertrouw hem eigenlijk niet zo,' zei ik serieus.

'Doe niet zo gek,' antwoordde Kelly. 'Denk je nou echt dat Mike dat zou pikken? Trouwens, zal ik vannacht ook bij

Paula blijven slapen? Dan ben je niet alleen als je moet oppassen.'

'Ja, dat is een goed idee. Dan bellen we je moeder wel als we er zijn.' Samen fietsten we door naar Paula's huis.

Toen we in bed lagen, vertelde Kelly dat ze het jammer vond dat Erik die dag niet bij Mike langs was geweest.

'Kelly, er zijn ook mensen die moeten werken, hoor,' probeerde ik haar gerust te stellen.

'Tja,' zei ze, 'hij is misschien wel de enige normale daar.'

'Hé, let op je woorden!' riep ik.

'Je wordt steeds verliefder, pas maar op jij,' kaatste ze terug.

Ik gaf geen antwoord. In mijn hart wist ik dat ook wel. Ik was inderdaad hartstikke verliefd geworden op Mike. Hij gaf me zo'n goed gevoel over mezelf en had zo veel aandacht voor me. Niets was te gek, als ik het maar naar mijn zin had.

'Wat gaan we morgen doen?' vroeg Kelly nog.

Even was het stil. Toen schoten we allebei in de lach. 'Naar Mike!' riepen we in koor. We draaiden ons om en vielen in slaap.

'Kelly!'

Even was het stil. Toen riep een stem weer: 'Kelly!'

'Hé, Kelly,' zei ik met een duf gezicht, terwijl ik tegen haar aan duwde. 'Wakker worden, Paula roept je.'

Ze keek op de wekker. 'Jeetje, het is pas negen uur! Ik heb nog lang niet genoeg geslapen.'

Op dat moment werd er op de deur geklopt. 'Ja, kom maar binnen,' zeiden we in koor.

Paula deed de deur op een kier. 'Kelly, je moeder aan de telefoon.'

'Jeetje, dat is vroeg. Moet ze je controleren?' vroeg ik aan Kelly, terwijl ik mijn hoofd weer in mijn kussen begroef.

Kelly stapte haar bed uit. 'Ik denk het. Ze gelooft natuurlijk niet dat we hier zijn.'

'Waarom niet?'

'O, ze heeft liever niet dat ik met jou en Mike omga.'

Ik vroeg niet verder. In plaats daarvan trok ik mijn kussen nog verder over mijn hoofd en mompelde dat ze maar gauw naar de telefoon moest gaan, voordat haar moeder voor de deur stond.

'Dat kan niet,' zei Kelly vrolijk. 'Ze weet namelijk niet

waar Paula woont.' Ze lachte. 'Dat is wel een goeie zet van me, of niet?'

'Ja, dat is het zeker,' beaamde ik.

Na een half uurtje tutten ging ik ook maar naar beneden. Daar zaten Kelly, Wim en Paula koffie te drinken. Ik haalde ook een mok koffie uit de keuken en ging naast Kelly op de bank zitten.

De telefoon ging. Ik nam op. Het was Mike.

'Heb je lekker geslapen?' vroeg ik.

'Nou, eigenlijk niet. Ik miste een vrouw naast me. Heb je mij ook gemist?'

'Nou nee, niet echt,' antwoordde ik plagend. 'Vannacht heeft Kelly hier geslapen en we hadden het veel te druk met roddelen over jou.'

Mike moest lachen. Toen vertelde hij dat hij van plan was om met een paar vrienden naar het strand te gaan. 'Gaan jullie mee?'

'Ja, leuk!' antwoordde ik. 'Ik zal eens vragen of Kelly al plannen heeft.' Ik legde mijn hand over de hoorn. 'Mike vraagt of we zin hebben om mee te gaan naar het strand,' fluisterde ik.

'Naar het strand?' vroeg Kelly verbaasd. 'Daar is het toch helemaal geen weer voor?'

'Ja, je hebt zin of niet,' zei ik een beetje geïrriteerd.

'Als Erik meegaat, dan wel,' antwoordde ze.

Ik haalde mijn hand van de hoorn en vroeg met een zucht aan Mike: 'Gaat Erik ook mee?'

'Nee, die moet werken. Paul en Linda komen wel.'

Dat waren twee vrienden van de vriendengroep van Mike. Ik herhaalde voor Kelly wat Mike had gezegd.

'Oké, ik ga wel mee,' zei ze.

'Hoe laat moeten we bij jou zijn?' vroeg ik aan Mike.

'Eh, ik denk rond een uur of vier. We blijven op het strand eten en dan zien we wel hoe laat het wordt. Blijf je vannacht hier slapen?'

'Ik zal het er met Paula over hebben.'

'Goed, ik zie je vanmiddag wel.' We hingen op.

Ik ging bij de anderen in de kamer zitten en vertelde wat Mike zojuist had gezegd. Paula vond het goed dat ik bij Mike zou blijven slapen. Kelly zou dan tegen haar moeder zeggen dat ze weer samen met mij bleef oppassen, en Paula zou het spelletje meespelen als er vragen waren.

We waren ruim op tijd naar Mike gegaan en zaten met z'n drieën een potje te kaarten toen de telefoon ging. Mike nam op. 'Hallo?' Ik keek naar hem terwijl hij languit op de bank lag, met zijn ene hand achter zijn nek en met de telefoon in zijn andere. Een sigaret hing uit zijn mond. Zijn lichaam tekende zich goed af, zoals hij daar lag. Geïnteresseerd keek ik naar zijn tattoos en ik realiseerde me dat ik niet eens wist wat er allemaal op stond. Mike ving mijn blik. Ik schrok. Ik voelde me betrapt en keek gauw weg. Mike begon te lachen.

Na een tijdje hing Mike op en kwam hij achter me zitten. Met zachte stem zei hij: 'Je mag ze best wel even zien, hoor.'

'Wat?' stamelde ik zonder op te kijken.

'Nou, je was toch naar mijn tattoos aan het kijken?'

Nu keek ik hem recht in de ogen. 'Ja, laat die plaatjes maar eens zien. Ik ben wel benieuwd.' Ik stond op en ging op de bank zitten. Mike trok zijn t-shirt uit en ging liggen met zijn hoofd in mijn schoot.

'O ja, dat was Erik aan de telefoon net,' zei hij tegen Kelly. 'Hij vroeg of jij er was en of je hem even wilde komen ophalen.'

Dat liet Kelly zich geen twee keer zeggen. Ze trok haar jas aan en vertrok.

'Hoe kan dat nou?' vroeg ik verbaasd aan Mike. 'Erik moest toch werken?'

'Ja,' zei Mike met een ondeugende blik, 'dat klopt. Het was ook Paul aan de telefoon, die wilde zeggen dat hij niet meegaat. Maar tegen de tijd dat Kelly weer terug is, heb ik mooi even wat tijd met jou alleen gehad. Dat zal ze heus wel begrijpen als ze terug is, let maar op!'

'Wat ben jij gemeen, zeg,' antwoordde ik. Eigenlijk moest ik wel lachen, want als ze zelf logisch had nagedacht, was ze niet zo hals over kop het huis uit gerend. Ik keek naar Mike. Hij lag op zijn rug, met gesloten ogen en zijn armen over zijn buik. 'Nou, vertel maar, die geschiedenis van je plaatjes,' zei ik plagend.

'Kijk en voel maar,' zei hij, 'en als je vragen hebt, dan hoor ik het wel.'

Ik begon bij zijn armen. Daar zaten kinderhoofdjes met de namen van zijn kinderen. Er was ook een hartje met wat bloempjes eromheen. Ik bekeek ze goed. Volgens mij was dat eerst een naam geweest. Als je goed keek, kon je er nog net 'Barbara' uit opmaken. Op zijn borst zaten nog wat van dezelfde bloempjes en een heleboel tekens die ik niet begreep.

'Die bloemetjes waren eerst de naam van Barbara, maar Karin kon er niet tegen, dus heb ik er bloemen van laten maken. Daarna heb ik haar naam laten zetten,' zei Mike nog steeds met gesloten ogen. 'Ik ben van de week teruggeweest en toen heb ik ook haar naam laten veranderen in bloemen. En kijk eens wat ik nog meer heb gedaan!'

Mike draaide zich om. Nu zat hij met zijn rug naar me

toe. Ik zag een blote vrouw met heel grote borsten op zijn schouders, met daaronder mijn naam getatoeëerd!

Even wist ik van verbijstering niet wat ik moest zeggen. 'Waarom heb je dat nou gedaan?' vroeg ik zacht.

Mike draaide zich om en zoende me vol op de mond. Ik kon niets anders doen dan hem terug zoenen. Ik merkte dat ik kriebels in mijn buik kreeg. Geschrokken trok ik mijn gezicht terug. We keken elkaar diep in de ogen. Even was het stil.

'Ik hou van je,' zei Mike schor. 'En daarom heb ik jou op mijn rug laten tatoeëren.'

'Ik heb niet eens van die grote borsten!' zei ik.

'Dat zal ik dan moeten controleren!' Mike pakte mijn T-shirt vast. Ik kon niets doen. Mijn hart begon sneller te kloppen. Ik was in een roes. Mijn adem stokte in mijn keel. Mike deed voorzichtig mijn T-shirt omhoog.

Ineens ging de schuifpui open. Kelly kwam binnengestormd. 'Hier! Moet je jullie nou eens zien liggen!' riep ze kwaad. 'Jullie konden ook wel gewoon zeggen dat jullie alleen wilden zijn!' Ze wierp zichzelf op de bank. Ik begon heel hard te lachen, maar Kelly keek me boos aan.

'Het was niet mijn idee, hoor,' verzekerde ik haar.

'Ach,' zei ze al iets vrolijker, 'ik vind het eigenlijk wel een goeie grap.'

'Als je eerst even had nagedacht, dan had je het kunnen weten,' zei ik. Nu konden we er alle drie wel om lachen.

Er stopte een auto naast het huis. Mike stond op om te kijken wie het was. Kelly boog zich naar me toe en fluisterde: 'Hebben jullie het gedaan?'

Gelukkig kreeg ik geen tijd om antwoord te geven, want

Erik kwam binnen. Kelly kreeg een rood hoofd. Erik ging naast haar op de bank zitten. Ze zat een beetje moeilijk heen en weer te schuiven en het was duidelijk dat ze erg nerveus was. Ik bedacht dat ik me hetzelfde had gevoeld, nog geen tien minuten geleden. Ik ging maar even naar de keuken, zodat Kelly en Erik alleen konden zijn.

In de keuken ging ik koffiezetten. Toen ik tegen het aanrecht geleund stond te wachten tot de koffie klaar was, kwam Mike binnen. Hij kwam naast me staan en sloeg een arm om me heen. 'Zijn de tortelduifjes alleen?' vroeg hij. Ik knikte.

'Hij ziet niets in haar,' zei hij.

'Hoe weet jij dat?'

'Hij ziet haar als een mooi avontuurtje. Ik weet zeker dat hij haar alleen maar in bed probeert te krijgen. Hij heeft net een relatie van zeven jaar achter de rug, en nu zoekt hij gewoon een verzetje. Let maar op, als het hem lukt of als zijn ex hem terug wil, laat hij haar keihard vallen.'

'Dat meen je niet!' zei ik verontwaardigd. 'Dat vind ik walgelijk. Ik moet haar daar echt voor waarschuwen, hoor, anders is het zielig. Ze is hartstikke verliefd op hem, en hij maakt daar gebruik van.'

Mike hoorde de boosheid in mijn stem. 'Hé, maak je niet druk, laat ze het lekker zelf uitzoeken. We hebben wel wat beters te doen. Waar waren we gebleven?'

Mike probeerde me weer te zoenen.

Ik duwde hem weg en zei: 'Sorry, de betovering is verbroken.'

Mike gaf niet op. Hij trok me naar zich toe. Ik voelde zijn gespierde lichaam tegen het mijne. Ik kon alleen maar naar hem kijken.

Heel zachtjes zei hij: 'De betovering is er weer. Ik zie het in je ogen.'

Voorzichtig kwam hij met zijn mond naar de mijne en voor ik het wist waren we verwikkeld in een hevige zoen-partij.

Op de achtergrond hoorde ik de telefoon overgaan. Ik trok mijn hoofd terug. Mike zei meteen: 'Ze kunnen bin-nen heus wel de telefoon opnemen. Daar hebben ze ons niet voor nodig. We hebben het nu te druk met andere din-gen.'

Op dat moment kwam Kelly de keuken binnen. Ze keek een beetje geïrriteerd.

'Wat is er?' vroeg ik aan haar.

'Het was Paula aan de telefoon,' zei ze. 'Mijn moeder moest me hebben, en aangezien ik hier zit, kon ik niet aan de telefoon komen.'

'En nu?'

'Wim komt ons zo halen. Paula heeft tegen mijn moeder gezegd dat we de hond aan het uitlaten waren. Nu belt mijn moeder over een half uur terug, dus dan moet ik daar zijn om de telefoon op te nemen.'

'Jeetje, had je je moeder niet zelf kunnen terugbellen? Dat had hier vandaan gekund,' zei ik nu ook geïrriteerd.

'Nee, daar trapt ze niet in. Dan weet ze meteen dat ik niet bij Paula zit.'

Vijf minuten later stond Wim voor de deur. Kelly gilde het uit. 'Hij is met de Mercedes sport!' Ik liep naar het raam en zag buiten voor de stoep Wim in zijn auto zitten. Inder-daad, het was een Mercedes sportmodel.

Mike was al naar buiten gelopen om Wim te begroeten.

Ik zag dat hij om de auto heen liep om hem eens goed te bekijken. Ik liep ook naar buiten en gaf Mike een zoen. 'Tot straks!' zei ik en ik stapte bij Wim in de auto.

'Waar is Kelly?' vroeg Wim.

'O,' zei Mike, 'die hangt bij Erik binnen.'

Wim toeterde een paar keer. Kelly kwam samen met Erik naar buiten. Kelly had een kleur, en Erik liep een beetje nonchalant met zijn handen in zijn broekzak. Bah, wat een engerd!

Kelly ging achterin zitten. Wim liet het dak van de auto naar beneden zakken. Het zonnetje scheen nu lekker op ons hoofd. Uitgelaten vertrokken we naar Paula's huis. Toen Wim wegreed toeterde hij naar Mike en Erik, die ons als afgewezen jongetjes nakeken. We zwaaiden vrolijk naar ze.

Onze haren wapperden wild om ons hoofd. Het was geweldig om in zo'n auto te mogen rijden. En een bekijks dat we hadden! Kelly en ik waren helemaal opgewonden. Wim moest er wel om lachen. Hij was het natuurlijk gewend, zo veel bekijks.

Na een kwartiertje kwamen we aan. We liepen uitgelaten en druk pratend naar binnen, toen de telefoon al ging. Kelly holde ernaartoe en probeerde met een zo rustig mogelijke stem op te nemen. Ik liep door naar de woonkamer en ging bij Paula op de bank zitten.

Na vijf minuten kwam Kelly de kamer in en zei: 'Ik denk niet dat ze erin trapt.'

'Hoezo niet?' vroeg ik.

'Ze belt vanavond weer.'

'O. Heeft ze ook gezegd hoe laat?'

'Nee, maar ze moest eerst naar het feest van haar zus en

dan zou ze bellen voor het een of ander.'

'Nou, dan zorgen we gewoon dat jullie hier om tien uur weer terug zijn. Is dat een goed idee?' vroeg Paula.

We vonden het natuurlijk een geweldig idee! Wim bracht ons naar Mike terug. We vertelden het hele verhaal.

'Zullen we een filmpje pakken?' stelde Erik voor. Dat wilden we wel. Erik huurde een film. We keken hem met z'n vieren.

Rond half tien kwam Wim ons weer halen. Nog geen uur later lagen we op bed na te kletsen over het feit dat Kelly's moeder haar niet vertrouwde, en over de hele avond.

Al met al was het een geweldige vakantie geweest! We hadden veel met z'n vieren opgetrokken. Helaas zat het er bijna op. Ik was in die laatste vakantieweek ongelooflijk verliefd geworden op Mike. Ook Kelly en Erik waren dichter bij elkaar gekomen. Mike had al een paar keer kenbaar gemaakt dat ik bij hem kon blijven, maar ik wist heel goed dat dat geen goed plan was. Het was beter om weer wat afstand van hem te nemen.

'Als ik zo gek was op Merel als Mike, dan had ik haar vastgebonden aan een stoel. Dan zou ik haar nooit meer laten gaan,' had Erik tegen Kelly gezegd.

Maar ja, ik wilde zelf weer terug naar het internaat. Het was daar helemaal niet zo vervelend als de meeste mensen dachten. Ik vond het er geweldig en ik wilde echt terug, maar dat betekende niet dat ik Mike en Kelly niet zou missen. Erik mocht ik nog steeds niet echt, maar zelfs aan hem begon ik te wennen. Hij had aangeboden om me weg te brengen met zijn auto, wat natuurlijk een aardig gebaar van hem was. Zo konden we toch nog even met z'n vieren zijn.

Toen ik afscheid nam van Mike op het internaat, vroeg hij met een trillende stem: 'Weet je het heel zeker?'

'Ja,' zei ik overtuigend. 'Heel zeker!'

Met die woorden namen we afscheid van elkaar. Ik keek toe hoe ze van het terrein het bos in reden. 'Tot mijn volgende verlof,' zei ik zachtjes. Met een leeg gevoel ging ik naar binnen, naar mijn groep.

Ik moest er erg aan wennen om weer terug te zijn op het internaat. Ik miste Kelly en Mike. Het ging me niet eens om de vrijheid, maar om hen en om de leuke dingen die we samen deden. We hadden natuurlijk heel veel met elkaar opgetrokken deze vakantie, en ik vond het moeilijk om dat los te laten.

Elke middag wachtte ik ongeduldig tot het zes uur was. De tijd kroop vooruit, totdat eindelijk na het eten de telefoon ging. Mike had speciaal voor mij thuis een aansluiting laten plaatsen.

Ik vertelde Mike dat ik hem en Kelly miste. Ik was jaloers als Mike vertelde dat Kelly nog elke dag bij hem over de vloer kwam.

'Zal ik je komen halen?' vroeg Mike dan.

'Nee, joh, dat hoeft niet. Ik moet gewoon even wennen. Hier is het ook nog steeds vakantietijd. Nog niet iedereen is terug.'

'Nou, dan komen we je toch gewoon halen. We brengen je wel weer terug als de vakantie is afgelopen. Je kunt hier komen logeren, hoor!' riep Mike vrolijk.

'Hmm. Ik zal eens aan Piet vragen of dat kan, want ik vind het wel een leuk idee.'

'Zou je het fijn vinden om nog even hier te kunnen zijn?'

'Nou, een weekje erbij kan geen kwaad. Daarna is iedereen dan weer terug en kan ik beter mijn zinnen verzetten,' antwoordde ik. 'Wacht even, ik bel je zo terug. Ik ga het even met Piet overleggen.'

Ik hing op en ging meteen op zoek naar Piet. Toen ik hem in de huiskamer had gevonden, vroeg ik of hij even mee wilde komen naar de kamer van de leiding. Daar nam hij plaats op de rand van het bureau en ik op de stoel.

'Nou, kom maar op met je verhaal,' zei hij.

Ik keek naar mijn handen, die op mijn schoot lagen. 'Mike heeft net gebeld. Hij vroeg of ik nog een week kwam logeren.'

Even was het stil. Ik durfde niet op te kijken.

'Wil je graag weg?' vroeg Piet zachtjes.

'Nee, dat is het niet, maar ik mis ze gewoon. Dus ik dacht, als ik er nog een week aan vastplak, dan kom ik weer terug als iedereen er weer is. Dan heb ik weer wat meer aanspraak en zal ik ze niet meer zo missen.'

'Denk je dat? Wie zegt dat een week extra genoeg is? Wie zegt mij dat je na een week weer terugkomt?'

'Tuurlijk kom ik terug,' zei ik een beetje beledigd. 'Geloof je me niet?'

'Jawel,' zei Piet. 'Maar ik denk dat je hiermee het probleem niet oplost. Of je nou een week of twee weken gaat, als je terugkomt mis je hem net zoveel. Of misschien wel meer.'

Even was het stil.

'En als ik het toch doe? Wat dan?' vroeg ik. Ik probeerde net zo kalm te blijven als Piet, maar in mijn stem klonk boosheid door.

'Dan is het makkelijk. Ik ga je niet tegenhouden, je zit

hier vrijwillig. Maar als je toch gaat, dan hoef je niet meer terug te komen.'

De toon waarop hij sprak liet geen ruimte voor twijfel: hij meende het. Ik wist ook wel dat een weekje erbij geen oplossing was. Maar het leek me heerlijk. Een weekje maar; ik wilde nou ook weer niet eeuwig bij Mike blijven.

Piet werd weggeroepen en ik bleef alleen achter in de kamer. Lange tijd bleef ik naar de muur staren. Toen besloot ik dat het beter was om Mike meteen maar te bellen, ook al wist ik niet hoe ik het hem moest uitleggen. Ik zag nu ook wel in dat ik beter op het internaat kon blijven.

'Hallo?' Mike nam op.

'Hai, met mij,' zei ik.

'Moet ik je komen halen?'

'Doe maar niet. Ik mag niet meer terugkomen als ik ga.'

'Mag je niet weg van hem?' vroeg Mike nijdig.

'Jawel,' zei ik iets te snel, 'maar...'

Ik zweeg. Ook aan de andere kant van de lijn was het stil.

'Mike? Mike?' vroeg ik. Ik kreeg geen antwoord. Hij heeft gewoon opgehangen! dacht ik. Hoe kan hij dat nou doen? Ach, misschien belt hij zo wel terug, als hij het verwerkt heeft, stelde ik mezelf gerust.

Ik liep terug naar mijn kamer en ging op bed liggen. Vijf minuten later werd er op mijn deur geklopt. 'Ja, kom maar binnen,' zei ik.

De deur ging open. Het was Piet. 'En? Wat ga je doen?' vroeg hij terwijl hij op het voeteneinde van mijn bed ging zitten.

'Ik heb Mike gebeld dat ik niet kom. Ik wil hier wel weer terug kunnen komen. Dus als er consequenties aan het vertrek zitten, dan maar niet.'

Piet gaf me een klopje op mijn been. 'Goeie beslissing. Het zal geen makkelijke beslissing zijn, maar wel de beste.' Hij stond op en verliet de kamer.

Een paar uur later lag ik op bed naar de radio te luisteren, toen ik werd opgeschrikt door het geluid van een remmende auto voor de deur. Ik schoot overeind en zette de muziek zachter. Ik hoorde dat de voordeur met een ruk werd geopend. Wat moest ik doen? Ik stond op om voorzichtig te gaan kijken. Mijn gevoel zei dat er iets niet klopte. Voorzichtig opende ik mijn deur en keek door het kiertje.

O god! Wat ik daar zag, deed het bloed naar mijn wangen stijgen. Mike en een van zijn vrienden stonden in de gang. Piet stond tegenover ze. Ik deed de deur verder open om te zien wat ze precies aan het doen waren. De vriendin van Mikes vriend kwam nu ook door de voordeur gestapt. Kennelijk had ze me opgemerkt, want ze liep meteen op me af. 'Kom op, pak je spullen,' zei ze. 'Dan kunnen we gaan.'

'Hoezo?' vroeg ik verbaasd. 'Ik ga helemaal niet mee!'

We werden opgeschrikt door het plotselinge gegil van Mikes vriend. We keken om en zagen dat Mikes vriend met een stofzuigerbuis recht op Piet afkwam. Hij haalde de buis naar achteren, over zijn schouders, om kracht te zetten. Toen haalde hij naar voren uit om Piet ermee te slaan.

Die kans kreeg hij echter niet. Piet sloeg met twee handen tegen het hoofd van zijn belager. Die zakte door zijn knieën en viel languit op de grond. Zijn vriendin liep naar hem toe om te zien hoe het met hem was. Ze knielde bij hem neer en riep: 'Kom op, opstaan! We moeten gaan! Het loopt hier hartstikke uit de hand.'

Vanuit mijn ooghoek zag ik Mike staan. Ik draaide me naar hem toe. Hij stond met zijn rug tegen de deur. Ik keek nog wat beter. De adem stokte in mijn keel. Mike hield een pistool op Piet gericht.

Nooit eerder had ik een pistool in het echt gezien. En nu richtte mijn vriendje er een op de leukste groepsleider die je je kon wensen.

Mike moest mijn geschrokken gezicht hebben gezien. Hij schreeuwde: 'Pak je spullen! Gauw, voordat de politie voor de deur staat!'

Hals over kop rende ik naar mijn kamer. Ik propte zo snel mogelijk spullen in een tas. Ik was doodsbang dat Mike echt zou gaan schieten. De tranen stroomden over mijn wangen. Ik had dit nooit zo gewild! Ik schaamde me diep.

Toen ik terugkwam op de gang, zag ik dat Mikes vriend ook weer op zijn benen stond. Mike pakte me bij mijn elleboog en trok me hardhandig mee naar buiten. Bij de auto kwam er iemand van de leiding van de andere groep aangelopen. 'De politie is onderweg!' riep hij tegen Piet.

Mike liep met grote passen op de leider af. Hij zwaaide met het pistool en dreigde: 'Als de politie me tegenhoudt, staan hier morgen veertig auto's. Dan verbouwen we hier de hele boel!'

Achter ons hoorden we een auto het terrein op komen. We keken allemaal gespannen om. Een politiebusje! Mijn maag draaide om. Mike stapte in de auto en riep naar mij dat ik mee moest komen.

Ik liep naar Piet en gaf hem een knuffel.

'Ik zal geen herrie schoppen bij de politie. Ik zal het je niet moeilijker maken dan het al is,' fluisterde Piet in mijn oor.

Mike kwam uit de auto en trok mij van Piet los. Achter in de auto begon ik te snikken. Het enige waar ik nu aan dacht, was dat ik dit nooit zo had gewild...

En dat het allemaal mijn eigen schuld was.

Mikes vriend zat aan het stuur en Mike en ik zaten samen op de achterbank. Tijdens de hele autorit hield hij zijn arm om me heen geslagen, maar we zeiden niets. Ik bleef naar buiten staren. Hoe moest dit nou verder?

Net voordat we bij zijn huis aankwamen, zei ik tegen Mike: 'Ik kan nou niet meer terug, hè?'

'Hoezo, niet meer terug?'

'Nou, dat zei ik nog aan de telefoon, maar je hing al op voordat ik het kon uitleggen.'

Mike bleef naar buiten kijken. Hij moest kennelijk even nadenken. Toen zei hij: 'Het maakt me niks uit dat je niet meer terug kunt. Ik zal voor je zorgen, dat heb ik altijd al tegen je gezegd.'

'Dat weet ik wel, maar ik ben nog hartstikke jong. Ik wil mijn school kunnen afmaken.'

'Maak je nou maar geen zorgen. We zoeken wel een school voor je en dan vragen we gewoon een uitkering aan. Het komt heus wel goed.' Met die woorden stelde hij me gerust. Eigenlijk vond ik het wel een lekker gevoel, om nu altijd bij iemand te zijn die me zo speciaal vond en die alles voor me zou doen.

Toen we thuiskwamen, zag ik het licht in Mikes huis branden. Ik keek op de klok. Het was half tien geweest. 'Wie is er bij jou thuis?' vroeg ik.

'Geen idee,' zei Mike terwijl hij het portier opende. Hij liep naar al binnen terwijl wij nog moesten uitstappen. Binnen bleek Ron in de kamer te zitten.

'Waar was je nou?' vroeg Ron aan Mike.

Mike vertelde het hele verhaal.

'Vandaar dat je onze afspraak bent vergeten,' zei Ron.

Mike moest lachen en keek naar mij. 'Als het om mijn meisje gaat, ga ik door het vuur.'

Mijn wangen begonnen te gloeien. Weer voelde ik me bijzonder. Eigenlijk, nu ik er zo over nadacht, vond ik het wel interessant. Ik had nu een eigen huis. Er waren geen regels, dus ik kon doen waar ik zin in had.

Mijn gedachten werden onderbroken door een kus op mijn wang van Mike. 'Blijf maar niet op mij wachten als je moe bent,' fluisterde Mike. 'Ik moet nog wat regelen met de jongens.'

De vriendin van Mikes vriend was al naar huis. Verbaasd zag ik hoe Ron, Mike en zijn vriend door de schuifpui naar buiten liepen.

Nu zat ik helemaal alleen. Had hij me hiervoor weggehaald?

Hoe langer ik erover nadacht, hoe minder erg ik het vond. Zo kon ik op mijn gemak alles op een rijtje zetten. Ik was er tenslotte minder dan twee uur geleden nog van overtuigd geweest dat ik mijn leven op het internaat weer moest oppakken. Nu zat ik hier, bij mijn vriendje, bij wie ik nog nooit was blijven slapen.

Ik besloot Piet te bellen. De telefoon ging een paar keer over voordat er werd opgenomen. 'Met Piet,' hoorde ik aan de andere kant.

'Met mij,' groette ik hem.

'Hé, hallo. Hoe is het nou?'

'Ach, het was allemaal niet zo bedoeld. Het ging ook zo snel!'

'Ja, ik weet het. Maar wat ik niet begrijp, is dat je eerst zegt dat je blijft en dat ze je daarna toch komen halen.'

Ik legde Piet uit dat ik ook had willen blijven, maar dat Mike tijdens het telefoongesprek de verkeerde conclusie had getrokken: hij had gedacht dat ik wel wilde, maar niet mocht. Ik vertelde dat toen Mike de verbinding had verbroken, ik had aangenomen dat hij wel weer terug zou bellen als hij rustiger was. Ik had echt niet verwacht dat hij meteen zou komen.

'En het pistool?' vroeg Piet voorzichtig.

'Daar wist ik al helemaal niks van. Ik wist niet eens dat hij er een had.'

'Ben je nu alleen?'

'Ja. Ik weet niet waar Mike is, hij is weg met wat vrienden. Ik wilde alleen even zeggen dat ik goed ben aangekomen.'

'Ik vind het fijn dat je belt. Ik maakte me toch zorgen. Vind je het niet vervelend dat je nu alleen zit?'

'Ik weet helemaal niet wat ik van deze avond moet denken. Ik hoop alleen dat het allemaal zo zal uitpakken als Mike zegt.'

'Je kunt me altijd bellen,' zei Piet. 'Heb je pen en papier? Dan geef ik je mijn privénummer, voor als je me nodig hebt of even een praatje wilt maken.'

Toen ik het nummer had genoteerd, bedankte ik Piet en beloofde plechtig dat ik nog iets van me zou laten horen. Het gaf me een goed gevoel om even met hem gesproken te hebben.

Na het gesprek besloot ik mijn spullen naar boven te brengen. Ik was daar nog maar net mee begonnen, toen ik het geluid hoorde van de schuifpui die openging. Nieuwsgierig keek ik om. Het was Kelly.

'Hé, hallo!' begroette ik haar.

'Hai, ik ben zo snel mogelijk gekomen toen ik hoorde dat je hier zat,' antwoordde Kelly. Ze straalde van blijdschap.

'Kom zitten. Wil je wat drinken? Dan zal ik je het hele verhaal vertellen,' ging ik in één adem door.

'Ik denk niet dat er veel te drinken is,' zei Kelly. 'Er zal wel alleen bier zijn.'

Ik haalde mijn schouders op. 'Dan nemen we toch een biertje!'

Samen gingen we op de bank zitten, met elk een flesje bier in de hand. Kelly luisterde heel aandachtig terwijl ik alles vertelde over de gebeurtenissen van die middag. Toen ik het mezelf hoorde vertellen, besefte ik dat het toch wel een heel bizar verhaal was. Anderzijds was het achteraf bezien eigenlijk ook heel spannend, al voelde ik ook nog steeds de angst en de dreiging van geweld. Dat probeerde ik echter zo snel mogelijk te vergeten.

Rond een uur of twaalf kwamen Mike en Ron terug. Ze waren niet alleen. Mikes vriend was vervangen door een jongen die ik nog nooit had gezien en er was ook een vreemde vrouw bij. Kelly en ik wisten niet wat we moesten zeggen. Het begon een beetje te draaien in mijn hoofd door het biertje.

De vrouw zag er vies en onverzorgd uit. Ze ging samen met Ron op de bank zitten. Luidruchtig vroeg ze aan Ron: 'Wanneer krijg ik het nou?'

'Eerst deze jongens plezieren,' antwoordde Ron rustig. 'Het zijn vrienden van mij.'

'Maar van een van die vrienden zit zijn meisje hier?' Ze keek naar mij. Ik durfde niet naar Kelly te kijken, bang dat ze zou zien wat ik vermoedde. Deze vrouw leek wel een hoer. Ze werd als cadeautje geleverd aan Mike en de jongen die ik niet kende.

'O,' hoorde ik Mike zeggen, 'ik kijk alleen maar.' Met die woorden vertrokken ze met zijn drieën naar boven.

Kelly en ik waren met stomheid geslagen. Ron zag onze verbaasde gezichten en zei: 'Dames, zullen we een roti gaan halen?'

'Wat is dat?' vroeg Kelly.

Ron stond op. 'Kom, ik zal het jullie wel leren eten.'

Het leek me inderdaad beter om met hem mee te gaan. Ik had honger en wilde zo snel mogelijk weg uit deze rare situatie.

De zon scheen warm op mijn gezicht door een kier in het gordijn. Voorzichtig opende ik mijn ogen. Ik keek verbaasd de kamer rond. Kelly en ik lagen in een van de kamers die van de kinderen waren geweest. Ik kreeg een drukkend gevoel in mijn hoofd toen ik op wilde staan. Meteen wist ik weer wat er gisteren allemaal was gebeurd. De biertjes van gisteravond zorgden voor dat drukkende gevoel in mijn hoofd. Een kater! dacht ik. Nou, dan weet ik ook eens hoe dat voelt.

Ik stapte uit bed en schoot mijn kleren aan. Heel zachtjes liep ik de kamer uit, zodat ik Kelly niet zou wakker maken. In de hal zag ik dat Mikes slaapkamerdeur op een kier stond. Voorzichtig liep ik erheen en duwde de deur open. Daar lag hij op bed. Geen dekens om hem heen en helemaal naakt. Gauw trok ik me terug. Ik had behoefte aan koffie.

In de hal beneden werd mijn aandacht getrokken door gesnurk uit de woonkamer. Nieuwsgierig ging ik kijken. Ron lag op de bank te slapen. Hij zal wel niet meer naar huis hebben gewild vannacht, bedacht ik. Ik kon me ook niet herinneren of Mike ons nog had horen thuiskomen.

Terwijl ik het koffieapparaat aanzette, hoorde ik iemand de trap aflopen. Het was Mike. Hij streek door zijn haren. 'Goedemorgen!'

Ik groette hem terug.

'En? Heb je gisteren een leuke avond gehad?' vroeg hij een beetje geïrriteerd.

'Wat denk je zelf?' antwoordde ik. 'Het is dat Ron ons heeft meegenomen, anders had ik me helemaal vervelend gevoeld.'

Verbaasd keek Mike me aan. Het leek wel of hij geen idee had dat hij fout was geweest. Zonder iets te zeggen liep hij de keuken uit naar de woonkamer. Uit het niets begon hij te schreeuwen tegen Ron. 'Ga godverdomme mijn huis uit! Noem je dat vrienden? Je hebt vannacht geprobeerd die meiden te paaien! Geloof mij maar, het zal je niet lukken om die meiden achter het raam te krijgen!'

Vanuit de keuken kon ik alles volgen. Ron keek slaperig naar Mike op. 'Maak je niet zo druk. Ik heb ze alleen maar op een roti getrakteerd. Die meiden waren helemaal alleen, terwijl jij plezier aan het maken was boven!'

'Ik heb niks met dat wijf gedaan!' schreeuwde Mike nu nog harder.

'Geloof je het zelf!' schreeuwde Ron terug, terwijl hij in zijn kleren schoot. Hij stond op en liep naar de schuifpui. Voordat hij die opende, bleef hij even staan. Hij draaide zich naar Mike om en zei op dreigende toon: 'Je hoeft je tegenover mij niet te verantwoorden. Maar ik hoop dat zij jou gelooft!' Hij wees naar mij.

Mike keek mij aan. Inderdaad, nu ik er zo over nadacht, was er geen reden om Mikes verhaal te geloven. Ik draaide me om en liep de trap op naar boven. Daar maakte ik Kelly wakker en vertelde haar wat zich net had afgespeeld tussen Ron en Mike.

Ze haalde haar schouders op. 'Ach maak je niet druk,

Merel. Mike is apart, maar ik geloof niet dat hij het zou doen met een ander terwijl hij verliefd is op jou.'

'Zullen we vandaag mijn uitkering gaan aanvragen?' vroeg ik om van onderwerp te veranderen.

'Ja, goed idee. Maar zullen we eerst even bij mijn moeder wat gaan eten?' stelde ze voor.

'Ja, lekker. Ik lust wel iets.'

We liepen naar beneden. Net voordat ik naar buiten wilde stappen, vroeg Mike: 'Waar gaan jullie naartoe?'

Zonder iets terug te zeggen opende ik de schuifpui en liep samen met Kelly naar buiten. Toen ik de schuifpui weer dicht wilde doen, hield Mike me tegen. 'Hé, ik vroeg je wat,' zei hij dringend.

Ik keek hem recht aan. 'Je hebt me gisteren onder bedreiging van een pistool weggehaald uit het internaat om voor me te zorgen,' antwoordde ik ijzig kalm. 'Vervolgens laat je me diezelfde avond alleen achter en kom je weer thuis met een hoertje. Noem je dat voor mij zorgen?'

Zonder verder nog iets te zeggen draaide ik me om en liep weg. Dat Mike zijn beloftes niet waarmaakte, had ik de eerste avond al ondervonden.

Bij de sociale dienst kwam ik niet eens in aanmerking voor een intakegesprek. De mevrouw achter de balie vertelde dat ik het weer kon proberen als ik zestien jaar was. Dan pas zou er naar de situatie worden gekeken. Het beste wat Mike nu kon doen, was aangeven dat hij met mij samenwoonde, dan kon zijn uitkering verhoogd worden. Teleurgesteld liepen we naar buiten. Voor het eerst besefte ik dat er geld moest komen, omdat er anders geen eten kon worden gehaald. Dit was mijn eerste les in het zelfstandig worden. Geen geld betekent geen eten! Daar had ik nog nooit bij stilgestaan.

Op de weg terug naar huis kwamen we Paula tegen. Ze was verbaasd me te zien. 'Moet jij niet op het internaat zitten?' Ik vertelde haar wat er de vorige dag was gebeurd.

'Weet je moeder het al?' vroeg ze bezorgd.

Shit, mijn moeder! Ik had helemaal niet meer aan haar gedacht.

Paula zei dat als ik ergens hulp bij nodig had, ik het maar moest zeggen. Dat waardeerde ik enorm en dat zei ik haar ook.

Het geldprobleem verschoof even naar de achtergrond nu ik voor de moeilijke taak stond om mijn moeder te gaan vertellen dat ik vanaf vandaag bij Mike woonde. Als ik thuiskwam zou ik haar meteen op de camping bellen, nam ik me voor.

Kelly's moeder had gezegd dat ik bij hen kon komen voor het avondeten. Dat aanbod sloeg ik niet af, maar daarna moest ik toch echt weer terug naar Mike. Ik moest hem weer onder ogen komen. Hij was nu mijn thuis geworden. Ik had Kelly gevraagd om mee te gaan naar Mike, maar ze had al met Erik afgesproken. Teleurgesteld liep ik in mijn eentje naar huis.

Na vijf minuten lopen passeerde ik een friettent. In gedachten verzonken liep ik er voorbij. Opeens ging de deur achter me open en kwam Mike hollend naar me toe. 'Toe, wacht, wacht nou!' riep hij.

Ik bleef staan en draaide me om.

'Hier heb je een sleutel,' zei hij en hij gaf me er een van zijn bos. 'Ik eet nog even mijn patatje op en dan kom ik ook naar huis.'

Ik nam de sleutel van hem aan en zonder iets te zeggen liep ik verder naar huis. Toen ik de schuifpui opendeed, zag ik tot mijn verbazing in de woonkamer een van de puppy's zitten die Mike naar het asiel had moeten brengen. Blij liep ik op het beest af, en samen met hem ging ik op de bank zitten.

'O,' zei Mike toen hij tien minuten later binnenkwam, 'jullie hebben elkaar al gevonden, zie ik.'

Ik knikte en aaide de hond over zijn hoofd.

'Hé,' zei Mike tegen de hond, 'is er ook nog plek voor mij?' Hij schoof de hond opzij en ging naast mij zitten. 'Hier,' zei hij, en hield een zak omhoog. 'Dit eten heb ik voor jou meegenomen.'

Ik pakte de zak aan en zei dat ik al had gegeten. Ik zette de zak op tafel. Ik was nog steeds boos over wat hij gisteren had gedaan.

Mike schoof de hond nu helemaal van de bank, ging met zijn hoofd op mijn schoot liggen en keek mij aan. Ik ontweek zijn blik en bleef naar de tv kijken.

'Ik heb echt niks met haar gedaan gisteren, dat moet je geloven!' fluisterde Mike.

Nog steeds zei ik niks.

'Ik probeer het jou naar de zin te maken, hoor,' ging Mike verder. 'Voor jou heb ik die hond gehaald. Ik heb zelfs eten voor je meegenomen. Als ik zeg dat ik voor je zal zorgen, dan doe ik dat!'

Nu pas keek ik hem aan, maar ik zei nog steeds niks.

'Gisteravond was ik hartstikke bang om je kwijt te raken. Jullie gingen zonder iets tegen mij te zeggen met Ron mee.'

'Het lag niet aan mij, hoor,' zei ik zachtjes. 'Jij haalt mij zomaar weg uit mijn omgeving, belooft me dat je voor me zult zorgen en laat me nog diezelfde avond aan mijn lot over.'

'Oké, het spijt me,' zei Mike. 'Maar ik wil echt niet meer zonder jou verder leven. Ik heb gisteren beseft hoe belangrijk je voor me bent. Hoeveel je betekent voor mij.'

Het begon te kriebelen in mijn buik toen ik Mike zo hoorde praten. Mike kon me zo'n fantastisch gevoel geven. Ik voelde me speciaal.

'Je wangen kleuren,' zei Mike schor.

Ik keek hem alleen maar aan en zei niks.

Heel zachtjes kuste hij mijn mond. Voor ik het wist lagen we te vrijen, boven in de slaapkamer. Ik vond het spannend en ook een beetje eng. Het was voor mij tenslotte de eerste keer. Maar ik durfde het eindelijk aan, omdat ik me nog nooit zo geliefd had gevoeld als nu.

'We moeten mijn moeder nog inlichten,' zei ik tegen Mike toen ik later in zijn armen op bed lag.

'Waarom? Ze heeft je toch weggestopt?'

'Toch moet ze het weten.'

'Goed,' zei Mike rustig. 'Ik zal wel even bellen. Waar zit ze?'

'Ze is op de camping.'

'Weet je het nummer?'

'Ja, het zit in mijn jaszak,' zei ik terwijl ik uit bed wilde stappen.

Mike trok me zachtjes terug en zei: 'Eerst even een sigaretje roken.'

We lagen nog een half uurtje op bed te roken. Het leek wel of ik de hele wereld aankon. Ik lag wat weg te doezelen. Op de achtergrond hoorde ik Mike mopperen. Ik schrok, want ik had hem helemaal niet horen weggaan. Op de grond naast het bed lag Mikes T-shirt. Ik trok het aan en liep naar beneden.

In de woonkamer stond Mike met de telefoon in zijn hand. Hij schreeuwde: 'Wat nou, je kunt haar niet omroepen? Het interesseert me niet of je dan alle campinggasten wakker maakt. Ik wil haar nu spreken. Als je daar niet voor zorgt, dan schiet ik morgen je kop eraf!'

Ik schrok van die taal. Op dat moment gooide Mike de telefoon tegen de muur. Ik bekeek het allemaal van een afstandje en hield me muisstil.

Mike kreeg me in de gaten en draaide zich naar me om.

'Dat was zeker de campingeigenaar?' vroeg ik hem.

'Ja, maar hij verdomde het om je moeder te roepen. Morgenvroeg zou hij het haar gaan vertellen. Toen ik hem zei dat ik zijn kop eraf zou schieten, hing hij op.'

Mike pakte de telefoon weer op en begon een nummer te draaien. 'Ik bel even een paar vrienden, dan kunnen we naar de camping rijden. Ik zal hem wel duidelijk maken dat ik niet met me laat sollen.'

Geschrokken liep ik op hem af. Ik vlijde me tegen zijn borst en hoorde hoe zijn hart bonkte. 'Laat je niet gek maken. Hij bedoelt het niet persoonlijk,' probeerde ik hem gerust te stellen. 'Hij heeft ook zijn regels. Morgen zal mijn moeder heus wel bellen,' zei ik met overtuiging in mijn stem. Ik voelde hoe Mike zijn armen om me heen sloeg.

'Ik wil het alleen maar goed doen voor jou!' zei hij teleurgesteld.

'Dat weet ik wel, maar we kunnen nu niets doen.'

Mike was even stil. Hij zag er zo lief uit. De Mike die ik nu zag, was de Mike die me zo'n speciaal, beschermd gevoel gaf...

De volgende ochtend werden Mike en ik gewekt door het gerinkel van de telefoon. Mike liep naar beneden om op te nemen. Gespannen luisterde ik wie het zou zijn.

'Merel, het is je moeder,' hoorde ik Mike beneden roepen. Ik trok een shirt van Mike aan en liep naar beneden.

'Goedemorgen. Heb je lekker geslapen?' vroeg Mike me beneden in de gang, terwijl hij me een zoen gaf. Ik mompelde iets vaags en liep naar binnen. Voordat ik de hoorn pakte, haalde ik even diep adem.

'Hallo,' zei ik zo rustig mogelijk.

'Waar ben je mee bezig?' vroeg mijn moeder ijzig kalm.

'Het is niet zo gegaan als jij denkt. Ik wilde dit echt niet, mam,' fluisterde ik.

'Ik heb net naar het internaat gebeld en het verhaal gehoord. Besef je wel waar je in terecht bent gekomen?' vroeg ze, nu met meer nadruk.

'Ik ben in goede handen, mam, maak je geen zorgen.'

'Dat doe ik wel! Als je daar blijft, dan trek ík mijn handen van je af!'

'Doe wat je niet laten kunt,' zei ik nijdig terug, 'als dat is wat je wilt.'

'Nee, dat is helemaal niet wat ik wil!' Ze begon te huilen.

'Je moet niet gaan huilen,' probeerde ik haar te troosten.

Even was het stil aan de andere kant. Toen verbrak mijn moeder de verbinding.

Geschrokken bleef ik met de hoorn in mijn handen zitten. Ik besefte dat ik er nu echt alleen voor stond.

Mike kwam de kamer binnen. Hij ging naast me op de bank zitten en gaf me een mok koffie. 'Wat zei ze?' vroeg hij nieuwsgierig.

'Ze wil niets meer met me te maken hebben als ik hier blijf,' antwoordde ik. De tranen rolden over mijn wangen.

Mike sloeg een arm om me heen en zei troostend: 'Dat meent ze niet. Dat zegt ze alleen om je te dwingen hier weg te gaan.'

Verdrietig lag ik in Mikes armen. Even kon niks me meer schelen. Ik had alleen maar medelijden met mezelf. Mijn moeder zette me onder druk om bij Mike weg te gaan, maar waar kon ik naartoe? Op het internaat was ik natuurlijk niet meer welkom. Ze zouden ondertussen mijn plaats wel aan een ander hebben gegeven.

Zo bleven we een tijdje zitten, tot Kelly binnenstapte. 'Hallo,' begroette ze ons vrolijk. 'Wat is hier aan de hand?'

Mike vertelde haar waarom ik zo somber was.

'O, dat heeft mijn moeder zo vaak gezegd. Daar meent ze niks van, joh.'

Mijn hart sloeg een slag over toen de telefoon weer ging. Dat zal mijn moeder wel zijn, dacht ik. Maar het was Erik, die voorstelde om met zijn auto mijn spullen te halen op het internaat. Dat was heel attent van hem, maar ik zag er wel erg tegen op om me daar weer te vertonen.

Kelly en ik moesten van Mike in de auto blijven. Hij bleef nog geen tien minuten weg. Een grote tas met mijn spulletjes ging in de achterbak en we reden van het terrein af zonder achterom te kijken.

We waren allemaal stil in de auto. De woorden van mijn moeder spookten door mijn hoofd. Ik moest er maar het beste van maken.

Na een kwartiertje reden we op de snelweg. Ik zag hoe we de andere auto's met een snelheid van honderdvijftig kilometer per uur inhaalden. Opeens hoorden we een harde klap. Geschrokken vlogen Kelly en ik overeind om te kijken wat er aan de hand was. De motorkap was opengevlogen, en Erik kon niks meer zien. Gespannen stuurde hij zo goed mogelijk de auto naar de kant.

Toen we stilstonden, begon hij te vloeken tegen Mike: 'Hoe kun je dat nou doen? Jij hebt die klep niet goed dichtgedaan toen je de radiator bijvulde.'

Mike antwoordde laconiek: 'Doe het voortaan zelf. Er is toch niks gebeurd.'

'Niks gebeurd!' riep Erik. 'Moet je kijken, de hele klep is afgescheurd. We kunnen niet meer verder.'

'Jawel hoor,' antwoordde Mike en hij stapte uit. Hij schoof zijn stoel naar voren en reikte mij de hand. Terwijl ik hem pakte en uitstapte zei Mike: 'We gaan een trein zoeken.'

Erik en Kelly stapten ook uit de auto en gingen met ons mee. Met z'n vieren liepen we naar het dichtstbijzijnde station om daar de trein te pakken naar huis.

Toen we een half uurtje in de trein zaten, werden we begroet door een conducteur. 'Goedemiddag! Mag ik jullie plaatsbewijzen zien?'

Shit, dacht ik, we hebben helemaal geen kaartjes ge-kocht.

'Die hebben we niet,' zei Mike kalm.

'Geen van jullie?' vroeg de conducteur.

'Nee,' antwoordde Mike.

'Wat is hiervan de reden, als ik vragen mag?'

'Nee, dat mag je niet,' zei Mike dreigend.

'Goed, dan zal ik jullie een boete moeten geven.'

'Je doet maar. Je weet toch niet waar ik woon. Ik geef ge-woon een vals adres op.'

'Dan zal ik de spoorwegpolitie moeten inschakelen.'

Erik porde Mike in zijn zij. 'Doe nou een beetje rustig!'

'Heeft een van jullie een rijbewijs?' vroeg de conducteur.

'Ja,' zei Erik, en hij overhandigde hem zijn rijbewijs.

'Goed, ik zal jullie matsen. Ik schrijf vier kaartjes uit. Als je die morgen meteen betaalt aan een loket, dan krijgen jullie geen boete. Doen jullie dat niet, dan stuur ik vier be-keuringen naar Eriks adres.' Nadat de conducteur de bon aan Erik had gegeven, vertrok hij weer.

'Wat een lul,' zei Mike geïrriteerd.

Ik maakte me meer zorgen over hoe we in godsnaam die kaartjes moesten gaan betalen. Ik had geen rooie cent.

Erik zei de hele terugweg niets meer tegen Mike. Toen we aankwamen op het station bracht hij Kelly weg. Mike en ik liepen met z'n tweeën naar huis.

'Wil jij ook een biertje?' vroeg Mike thuis terwijl hij naar de keuken liep.

'Ja, doe maar,' zei ik. 'Ik heb trouwens honger, jij niet?'

Mike kwam met wat bierflesjes naast me zitten op de bank. Met een knal haalde hij de beugel los en zei: 'Eén flesje staat gelijk aan twee bruine boterhammen, en aange- zien ik meer van bier hou, heb ik liever dit.'

'Nou, als het net zo vult als boterhammen, vind ik het best,' zei ik en ik opende ook een beugelflesje. 'Trouwens, je zou me nog steeds leren hoe je een flesje in één teug leeg kunt drinken,' zei ik ondeugend.

Mike zette het flesje tegen zijn mond en zei: 'Gewoon je keel openzetten en het laten klokken.'

Ik zette het flesje aan mijn mond en deed mijn hoofd achterover. Ik zette mijn keel open, zoals Mike gezegd had. Het bier kwam met grote snelheid uit het flesje... In een re- flex slikte ik. Ik vergat alleen het flesje weg te trekken, met als gevolg dat de rest van het bier over me heen spoot. Mike moest lachen toen ik begon te proesten.

'Ja, lach maar,' zei ik. 'Maar het zal me lukken.' Stoer zet- te ik het volgende flesje aan mijn mond en zette mijn keel weer open. En warempel lukte het me om de helft in één keer naar binnen te krijgen.

'Goed zo!' zei Mike trots. 'Hier heb je er weer een', en hij gaf me nog een flesje. Aangezien ik bijna nooit alcohol dronk, voelde ik me al licht worden in mijn hoofd. Ik pakte het flesje aan en zette tegelijk met Mike het flesje aan mijn mond. We zetten onze keel open. Nu lukte het niet zo goed als daarvoor. De inhoud van het flesje gutste weer over me heen. Mike brulde het uit van het lachen en ook ik kon mijn lach niet inhouden. Ik wilde opstaan om in de keuken een doek te pakken om al het gemorste bier weg te vegen, maar toen ik stond begon het te draaien in mijn hoofd. Mijn benen leken wel van elastiek. Voorzichtig probeerde ik te lopen. Voor ik het wist lag ik languit op de vloer en kon ik niet meer op of neer. Het lachen was me meteen vergaan. Ik was gewoon hartstikke dronken.

Mike had door dat ik het niet meer zo leuk vond en stond op. 'Kom, ik zal je wel even naar boven brengen,' zei hij en knielde bij me neer. Hij pakte me met zijn ene hand bij mijn rug, met de andere bij mijn knieën en tilde me op.

Terwijl ik in zijn armen hing, vroeg ik: 'Heb jij nergens last van?'

'Nee, niet na twee biertjes. En weet je, morgen is het nog erger,' zei hij lachend. 'Vanavond een grote meid, morgen een grote meid.'

Zo gingen we naar boven. Mike legde me voorzichtig op bed en kwam bij me liggen. Ik lag op mijn rug en Mike legde zijn hoofd op mijn borst. O, wat draait alles om me heen als ik mijn ogen dichtdoe, dacht ik nog. Toen werd het zwart voor mijn ogen en viel ik in een diepe slaap.

Voordat ik mijn ogen opendeed, probeerde ik me voorzichtig uit te rekken. Mijn keel voelde droog aan en ik had vreselijke dorst. Ik hoorde Mike de trap op komen. Hij opende de deur van de slaapkamer. Voorzichtig kwam ik overeind. Wat deed mijn hoofd zeer! Ik kneep mijn ogen samen en zag door de spleetjes Mike in de deuropening staan.

'Goedemorgen, lekker geslapen?' vroeg hij, naar mijn mening veel te hard. Hij ging bij me op bed zitten. 'Heb je hoofdpijn?' vroeg hij bezorgd.

'Mmm, ja,' mompelde ik terug, 'en vooral dorst.'

'Nou, dat komt goed uit. Hier, ik heb koffie voor je.' Hij reikte me een mok aan. Met beide handen pakte ik de mok koffie en snoof de heerlijke geur op.

Beneden hoorden we een auto stoppen. Mike gaf me een zoen op mijn voorhoofd en zei: 'Dat is de bakker. Even oud brood halen voor de hond, ik ben zo terug.'

Ik knikte en dronk voorzichtig van de hete koffie. Wat had ik een raar gevoel in mijn hoofd. Mijn maag maakte een hard knorrend geluid, terwijl ik al misselijk werd bij het idee om iets te eten. Ik besloot na de koffie terug te duiken onder de dekens. Alleen het licht deed al zeer aan mijn ogen.

Na een paar uurtjes slapen besloot ik me toch maar te vermannen en me aan te kleden. Het zou vast een zeer rustig dagje worden voor mij. Na een heerlijk warme douche stommelde ik de trap af. Het was rustig beneden. De vogeltjes floten vrolijk en het zonnetje scheen. Stapje voor stapje liep ik naar de keuken om zo min mogelijk pijn in mijn hoofd te voelen. Mijn maag knorde nog steeds en ik moest toegeven dat ik nu wel trek had in iets. Zachtjes trok ik de koelkastdeur open en bukte voorover om goed te kunnen zien wat erin stond. Eerst dacht ik dat het door de kater kwam, maar al snel werd duidelijk dat het echt waar was: er stond niks in de koelkast, op wat bierflesjes na. Schouderophalend duwde ik de koelkastdeur dicht. Ik zou straks wel even aan Mike vragen of er boodschappen gedaan moesten worden.

Mijn aandacht werd getrokken door een zak brood op het aanrecht. Ik maakte de zak open en zag dat het brood oud was. Het was vast voor de hond, maar dat maakte me niks uit. Ik had gewoon honger. Met een stuk oud brood ging ik op de bank zitten en installeerde me voor de televisie.

Aan het eind van de middag kwam Mike thuis, samen met een jongen die ik nog nooit had gezien. Ik schatte hem op een jaar of dertig. Hij was heel groot en had mooie donkere ogen. Mike stelde hem aan me voor: 'Dit is Job, een goeie vriend van mij. Als er ooit iets is en ik ben er niet, kun je bij hem terecht.'

'Wat bedoel je daarmee?' vroeg ik verbaasd.

'Dat leg ik je nog wel uit,' zei Mike ontwijkend.

Hij liep de kamer uit en vroeg vanuit de keuken: 'Lust je er een?'

'Nee,' zei Job. 'Ik drink geen alcohol.'

Ik liep naar de keuken. 'Zal ik wat boodschappen gaan doen? Er is helemaal niks te eten,' zei ik tegen Mike.

'Overmorgen krijg ik weer geld van de sociale dienst. Dan kan ik weer wat halen,' antwoordde hij.

'Heb jij dan geen honger?'

'Ik neem wel een biertje.' Hij liep de keuken uit.

Nou ja, dan eet ik tot die tijd wel wat brood van de hond. Met die gedachte ging ik ook op de bank in de woonkamer zitten.

Het werd een gezellige avond met Job. Het was een aardige jongen. Kelly kwam 's avonds ook nog even langs. Job was onder de indruk van haar, dat kon je duidelijk merken. Toen ik Kelly later in de keuken vroeg wat zij van hem vond, bekende ze dat ze de aandacht wel leuk vond, maar meer niet. Ze was tenslotte nog steeds verliefd op Erik.

Job bracht Kelly naar huis en nam op de terugweg patat mee. Gulzig propte ik de frietjes in mijn mond. 'Zie je wel, alles komt goed,' fluisterde Mike in mijn oor. 'Als iemand wil trakteren, moet je nooit nee zeggen!'

Met een verzadigd gevoel viel ik op de bank in slaap.

De volgende ochtend begon veel beter dan de dag ervoor. Ik had geen hoofdpijn meer, maar het fijnste was dat mijn maag niet knorde. Mike lag nog heerlijk naast me op de bank te slapen. Ik voelde zijn rustige ademhaling. Hij lag zijn roes van gisteren uit te slapen. Ik besefte dat bier een belangrijke rol in zijn leven speelde. Maar ja, als je denkt dat een biertje je maaltijd vervangt, dan ben je algauw elke dag dronken.

Ik stond op en besloot hém nu eens koffie te brengen. In de gang werd ik vrolijk begroet door de hond. Hij liep met me mee en wachtte geduldig op zijn brood. Ik gooide hem twee sneetjes toe en zei: 'Hier, jongen, hier moeten we het weer mee doen vandaag.' Ik nam ook een stuk uit de zak en proefde dat het nu nog droger was dan de vorige dag. Ach, het maakte mij niet uit. Morgen zou er geld zijn en konden we weer eten halen.

Toen de koffie klaar was, liep ik terug naar de bank. Mike lag er nog precies hetzelfde bij. Ik ging op het randje van de bank zitten en kuste hem voorzichtig op zijn mond. Mike pakte me met beide handen vast. 'Je hield me voor de gek,' zei ik lachend. Mike gaf geen antwoord. Al snel belandden we in een vrijpartij.

Erg lang duurde dat echter niet. We hoorden buiten een auto gierend de bocht om komen en voor ik het in de gaten had, stond Job in de deuropening. 'Gaan jullie mee naar het strand?' vroeg hij vrolijk. 'Met dit weer kun je er ook heerlijk over de boulevard lopen. Ik heb Linda en Paul ook gevraagd.'

Mike keek mij vragend aan.

'Ik vind het best,' zei ik.

Ook Kelly kwam aangelopen. Job begroette haar uitbundig. Ze groette terug en passeerde hem.

'Hoi, hoe is het?' vroeg ik. We liepen samen naar de keuken. Ze schonk koffie in terwijl ik tegen het aanrecht leunde.

Ook Mike kwam de keuken in. 'Schenk je voor mij ook meteen in?' vroeg hij aan Kelly. Zonder iets te zeggen pakte ze een tweede kopje. Mike stak twee sigaretten op, gaf er een aan mij en liep toen naar buiten.

'Ga je ook mee?' vroeg ik aan Kelly.

'Waarheen?' vroeg ze, zonder op te kijken.

'Ze willen naar het strand. Voor zover ik begrepen heb, zien we Linda en Paul daar. Maar eerst willen Mike en Job over de boulevard gaan lopen.'

'Ja, dat lijkt me leuk,' antwoordde Kelly. 'Misschien wil Erik ook wel mee.'

'Heb je trouwens nog wat van hem gehoord?' vroeg ik voorzichtig.

Kelly haalde laconiek haar schouders op. 'Nee, ik zal hem eens bellen.' Ze liep naar de woonkamer. Ik besloot Mikes koffie naar buiten te brengen. Hij stond tegen zijn auto aangeleund te kletsen met Job. Mike gebruikte alleen 's nachts zijn auto, in de hoop dat hij dan niet gepakt werd door de politie. Hij was tenslotte nog steeds zijn rijbewijs kwijt.

Ik overhandigde hem zijn koffie en ging naast hem zitten op de motorkap. Ik voegde me bij het gesprek. Kelly kwam ongeveer vijf minuten later naar buiten. We keken haar allemaal aan zonder iets te zeggen.

'Ik ga ook mee als jullie het goed vinden,' zei ze.

'Tuurlijk!' zei Job net iets te luid.

We schoten allemaal in de lach.

Met zijn vieren vertrokken we met de tram naar de kust. Het was heerlijk weer en op de boulevard was het gezellig druk. Gewoon gezellig druk en schitterend weer. Hand in hand slenterden Mike en ik langs de terrasjes.

Job was luidruchtig aanwezig. Hij nam voorbijgangers in de maling. Je zag duidelijk dat ze hem probeerden te ontwijken. Ik was allang blij dat Mike er geen aandacht aan besteedde, anders zou de goede sfeer algauw omslaan. Ik kon nog steeds niet geloven dat Mike twee kanten had. De ene kant was lief, teder en beschermend, de andere agressief. Als hij zijn goede kant liet zien, vergat ik al snel de beangstigende kant.

Ineens pakte Job Kelly op, gooide haar over zijn schouder en riep tegen de mensen die keken: 'Dit is mijn meisje! Kijk maar goed, want ik pak haar hier midden op de boulevard!' Hij legde haar op de grond en ging boven op haar liggen. Hij maakte wippende bewegingen op haar en kreunde luidkeels.

Kelly kreeg een vuurrood hoofd. Ze kon geen kant op! Maar toch leek ze ook te genieten van de aandacht. Mensen wendden vol afschuw hun hoofd af en liepen door alsof er niets aan de hand was.

'Ik zou me nooit tot zoiets verlagen,' zei ik afkeurend tegen Mike.

'O nee?' vroeg hij plagerig.

'Nee!' zei ik met krachtige stem. Mijn irritatie was duidelijk hoorbaar.

Nadat we lekker op de boulevard waren uitgewaaid, namen we de tram naar een ander gedeelte van het strand. Daar hadden we afgesproken met Paul en Linda. Het was inmiddels een uur of acht. De ondergaande zon had een mooie kleur en stond aan de rand van de horizon. Ik kon mijn ogen er niet vanaf houden, zo prachtig was het.

Er was bijna niemand meer op het strand. De eigenaars van de strandtenten waren bezig hun zaak te sluiten. Een stukje verder op het strand zagen we Paul en Linda in het zand zitten. Ze waren bezig een vuurtje te maken. Toen ze ons in het oog kregen, zwaaiden ze uitbundig. We liepen naar ze toe. Kelly, Job en Mike ploften neer op het nog warme zand. Ik besloot naar de branding te lopen en daar op het natte zand te gaan zitten.

Genietend keek ik naar de horizon. De meeuwen scheerden door de lucht. Tegen de ondergaande zon kregen ze een rode gloed. Het was heel bijzonder om te zien.

Ik voelde twee handen van achteren onder mijn T-shirt verdwijnen. Ik keek om. Mike was achter me komen zitten. 'Waar kijk je naar?' vroeg hij terwijl hij me stevig vasthield.

'Naar alles wat voor me ligt,' antwoordde ik.

'Zal ik dan ook maar voor je komen zitten?'

'Nee hoor, blijf maar fijn zo zitten. Ik zit lekker zo.' Ik leunde tegen zijn borst. Op de achtergrond hoorden we Kelly, Job, Linda en Paul plezier maken. Even was het of alle zorgen verdwenen waren. Dat gevoel maakte me heel rustig. Mikes handen dwaalden af naar de rits van mijn broek. Ik schrok op uit mijn gedachten. Voorzichtig opende hij de rits. Ik haalde zijn hand weg.

'Wat krijgen we nou?' vroeg hij gepikeerd.

'Wat denk je zelf? Je denkt toch zeker niet dat ik het hier op het strand ga doen!'

'Waarom niet?'

'Omdat iedereen het kan zien en daar hou ik niet van.'

'Dan doen we het in het water!' drong Mike aan.

'Nee, ik doe het ook niet in het water. Weet je wel hoe koud het is?'

Mike stond op en liep bij me vandaan. Ik keek om en zag dat hij met grote stappen naar de anderen liep. Ik haalde mijn schouders op en dacht: die voelt zich afgewezen. Maar ja, daar kan ik ook niks aan doen. Hij had ook gewoon bij me kunnen blijven zitten. Ik bleef lekker naar het uitzicht kijken, ook al werd het snel donker. Dat maakte me niet uit. Alleen het geluid van de golven was al mooi.

Ik besloot naar het water te lopen. Ik trok mijn schoenen uit, liet ze staan waar ik had gezeten en liep op het water af. Het water was erg koud aan mijn voeten en ik bleef naar ze kijken terwijl ze in het zand onder water verdwenen. Achter me hoorde ik een auto aan komen rijden. Nieuwsgierig keek ik om en ik zag dat het een politiebusje was, dat recht op de anderen afkwam. Het kampvuur was intussen meters hoog geworden. Kelly kwam naar me toe terwijl de anderen met de politie aan het praten waren. 'Wat is er aan de hand?' vroeg ik.

'Ze hebben die houten pallets op het vuur gegooid en nu is het vuur te hoog geworden. De politie heeft ontdekt dat er een paar pallets weg zijn, en daar hebben ze nu ruzie over,' antwoordde ze. 'Mike vroeg of ik aan je wilde vragen of je erbij kwam.'

'Zeg maar dat ik er zo aan kom,' zei ik.

'Ik ga me er niet mee bemoeien, hoor,' zei Kelly gepikeerd en ze draaide zich om.

Wat is dit nou weer? dacht ik. Met een diepe zucht nam ik afscheid van het uitzicht. De duisternis trad in. Mijn mooie uitzicht was verdwenen. Ik pakte mijn schoenen en wandelde terug naar de rest. Ik zag dat het politiebusje weg was. Ik vroeg er verder maar niet naar; het was tenslotte mijn zaak niet.

Ik plofte naast Mike op het zand en staarde in het vuur. Mike zei helemaal niets. Ook ik hield mijn mond. Toen het vuur bijna uit was, hadden we nog steeds geen woord gewisseld. De anderen wilden naar huis gaan en wij gingen zwijgend mee.

In de tram duurde de stilte tussen ons voort. Ik staarde uit het raam. Toen we terug waren in de stad, stelde Mike voor om bij zijn zus langs te gaan. Iedereen vond het een goed idee, ik ook. Dan kon ik de andere hond van Mike weer eens zien.

Zijn zus leek enthousiast toen ze opendeed. Een voor een liepen we naar binnen. Samen met Kelly bleef ik in de hal wachten. Daar werden we begroet door de hond. Terwijl ik op mijn knieën de hond zat te aaien, stelde Mike iedereen aan zijn zus voor. Ik hoorde hem zeggen: 'Dat is een wereldwijf!' Hij wees naar Kelly. Toen ik aan de beurt was, zei hij: 'Haar ken je al, dat is een mokkel!'

Met die woorden liep hij naar de woonkamer. De tranen welden op in mijn ogen. Kelly keek me verbaasd aan. Ze wist duidelijk ook niet wat ze met de situatie aan moest. 'Ga maar,' zei ik zachtjes. Kelly liep naar de woonkamer.

Alleen achtergebleven in de hal probeerde ik mijn tranen tegen te houden, maar dat lukte niet. Voor het eerst had Mike me gekwetst. Hoe kon hij dat nou zeggen, terwijl hij me altijd op een voetstuk had geplaatst?

Ik voelde twee armen om mijn schouders. Het was Mikes zus. 'Trek het je niet aan. Het is niet goed te praten wat hij net deed, maar ik denk dat je hem beledigd hebt,' zei ze zacht. 'Dan reageert hij altijd zo.'

'Doe hem maar de groeten, ik ga naar huis,' zei ik.

'Weet je het zeker? Ik weet zeker dat het voor hem nu over is.'

'Voor mij niet!' Ik stapte over de drempel, trok de deur achter me dicht en ging alleen naar huis. De bussen reden niet meer, dus zou het een lange wandeling worden. Diep in gedachten verzonken kwam ik thuis. Ik duwde de schuifpui open en ging als verdoofd naar boven. Ik kon niet meer stoppen met huilen. Wat er deze avond was gebeurd, deed meer pijn dan die keer toen ik een klap van hem had gekregen bij de taxi. Het leek wel of ik een heel andere kant van hem leerde kennen, die ik nog nooit had gezien. Op bed huilde ik mezelf in slaap.

Langzaam opende ik mijn ogen. Ik keek recht in het slapende gezicht van Mike. Ik had niet eens gemerkt dat hij thuis was gekomen. Ik merkte dat ik nog steeds kwaad was dat hij me de vorige avond had beledigd. Ik stapte uit bed en trok de kleren aan die op de grond lagen. Het kon me niet schelen of Mike wakker werd, dus hield ik geen rekening met hem. In de badkamer besloot ik lekker in bad te gaan. Terwijl ik de temperatuur regelde met de kraan, keek ik rond of er misschien badschuim was. Algauw concludeerde ik dat dat soort luxe er niet in zat. Dus werd het een bad met alleen water.

Het water liep in een behoorlijk tempo uit de kraan, maar ik zag dat ik nog wel even tijd had om snel naar de wc te gaan. Ik liep met veel lawaai naar beneden en ging op het toilet zitten. Ik vond het eigenlijk wel lekker om eens geen rekening met Mike te houden. Toen ik wc-papier wilde pakken, zag ik dat dat er niet was. Naast me lag een stapel kranten. Ach, dan maar zo!

Met grote sprongen rende ik weer de trap op. Ik zorgde dat ik nu nog meer lawaai maakte. Het luchtte enorm op. Ik kon gewoon niet stoppen. Op beide voeten sprong ik de hal in en ik schopte ook nog even expres tegen de badkamerdeur toen ik hem opende.

Ik had de deurknop nog in mijn hand toen ik zag dat Mike lekker in mijn bad zat. Hij moest hebben gezien dat ik verbaasd was, maar hij zei heel laconiek: 'Goedemorgen, lekker geslapen?'

Ik bleef hem alleen maar aankijken en wist niet goed wat ik nu moest doen. Het was wel grappig om hem daar zo te zien.

'Dacht je nou echt dat ik al dat lawaai van jou niet hoorde? Ik kon moeilijk in bed blijven liggen met zo veel herrie, dus ben ik maar lekker in bad gestapt. Of was dat niet de bedoeling?'

Nog steeds zei ik niks. Eigenlijk wilde ik weer weglopen. Ik had geen zin in zijn praatjes, maar het leek wel of ik mijn benen niet kon bewegen.

'Als je toch niets te zeggen hebt,' ging Mike verder, 'mag je er best wel bij komen zitten, hoor.'

'Dacht je dat ik bij jou in bad zou willen zitten?' vroeg ik boos.

Mike stond op. Het water droop van hem af, en voor ik het wist had hij me te pakken en hing ik in zijn armen. Hij zonk net zo snel terug in het water als hij overeind was gekomen. Ik werd drijfnat door mijn kleren heen, die ik nog aanhad.

Met een glimlach op mijn gezicht keek ik hem aan. Met een doordringende blik zei hij: 'Sorry van gisteren.'

Toen ik mijn mond opende om hem te antwoorden, snoerde hij me de mond met zijn lippen. Langzaam trok Mike de natte kleren van mijn lijf. De kriebels gierden door mijn buik. Mike kon me op zulke momenten alles om me heen laten vergeten. Zelfs het feit dat hij me gisteren zo had gekwetst.

We vrijden tot het water was afgekoeld. Nadat we ons hadden aangekleed en beneden koffie hadden gedronken, stelde ik voor om wat boodschappen te gaan halen. De sociale dienst had tenslotte net betaald, dus konden we weer wat te eten halen voor deze week.

'Ik ga vanmiddag wel even naar de supermarkt,' stelde Mike voor.

'Moet ik dan even een lijstje maken van wat we nodig hebben?' vroeg ik.

'Nee, ik weet wel wat we nodig hebben. Laat het maar aan mij over.'

Terwijl Mike boodschappen deed, ging ik het huis een beetje opruimen. De kleren die op de grond lagen deed ik in de wasmachine. Nergens kon ik wasmiddel vinden. Ik hoopte dat Mike het mee zou nemen met de boodschappen, dan kon hij gelijk uitleggen of ik de was er goed in had gedaan. Het was voor het eerst dat ik de was deed.

Toen het huis helemaal gedaan was en ik behoorlijk wat koffie op had, kon ik mijn honger niet langer de baas. Ik hoopte dat Mike snel thuis zou komen. Uiteindelijk pakte ik maar weer een stuk oud brood.

De middag ging voorbij en Mike kwam maar niet thuis. De avond begon al te vallen en nog steeds had ik niks van hem vernomen. Ik had nog altijd vreselijke honger. In de keuken nam ik maar wat biertjes uit de koelkast. Die waren tenslotte net zo goed als een bruine boterham. Het bier steeg snel naar mijn hoofd. Ik besloot even op de bank te gaan liggen.

De schuifpui ging open en ik schoot overeind. Mike, dacht ik. Mis. Het was Kelly die binnenkwam. 'Hoi!' begroette ze me.

'Hoi,' zei ik. 'Ik dacht dat jij Mike was.'

'Hoezo?' Ze kwam naast me zitten.

'Hij is vanmiddag even boodschappen gaan doen en is niet meer teruggekomen,' legde ik uit.

'Weet je het dan niet?' vroeg Kelly verbaasd. 'Mike zit in het buurthuis.'

'In het buurthuis? Wat moet hij daar dan doen?'

'Als hij geld heeft gebeurd, gaat hij zich altijd eerst bezatten in het buurthuis,' zei Kelly.

'Dat meen je niet!' zei ik vol ongeloof. 'Hij zou wat boodschappen halen voor ons. Ik heb hartstikke veel honger, ik eet verdomme het brood van de hond!'

'Meen je dat? Ik weet dat hij altijd eerst zijn openstaande rekeningen gaat betalen bij de snackbar en het buurthuis.'

Ik wist niet wat ik hoorde. Mike had mij weggehaald uit het internaat en zou voor mij zorgen. En nu bleek dat ik het zelf maar moest uitzoeken. Ik stampte naar de keuken en zette de wasmachine aan zonder wasmiddel. Mike gaf daar toch niks om en ik voortaan ook niet meer.

Kelly kwam de keuken in en zag dat de tranen over mijn wangen liepen. 'Ik neem morgen wel wat vers brood voor je mee. Is dat goed?' zei ze troostend.

Ik knikte, maar bleef maar huilen.

Kelly bleef bij me tot ik wat rustiger was en ging daarna naar huis. Ze verzekerde me dat ze de volgende dag terug zou komen met een paar boterhammen.

Ik nam nog maar een biertje in de hoop dat mijn maag dan wat rustiger zou worden. Hoeveel biertjes ik uiteindelijk heb gedronken, weet ik niet meer. Maar weer lag ik te dutten op de bank.

Ik schrok wakker en keek op. Met kleine oogjes zag ik

Mike met een doos in zijn hand binnenkomen. Ook Mike was niet meer helemaal nuchter, zag ik aan de manier waarop hij liep.

'Zal wel leuk geweest zijn in het buurthuis!' hoorde ik mezelf boos zeggen.

'Zeik niet, wijf,' snauwde hij terug.

Ik stond op en liep wankelend op hem af. Ik rukte de doos uit zijn handen en keek of hij wat te eten had meegenomen. Geschokt staarde ik in de doos. Er lagen alleen een paar flesjes bier in, en een pak koffie.

De tranen kwamen weer opzetten en ik merkte dat ik me niet meer kon inhouden. 'Je zou boodschappen doen!' schreeuwde ik. 'Er is geen eten, geen zeep om me te wassen, het wc-papier is op en er is geen wasmiddel. Ik eet al zolang ik hier ben oud brood dat voor de hond bedoeld is. En waar kom jij mee thuis? Met bier! Om je 's avonds lam te zuipen! En met koffie, om je kater 's ochtends mee weg te drinken!'

Ik was zo teleurgesteld dat ik de doos met boodschappen iets te hard op de grond neerzette. De flesjes kletterden tegen elkaar en sloegen kapot. Geschrokken keek ik naar beneden.

Mike kwam met grote stappen naar me toe. Met beide handen pakte hij me bij mijn haren. Mijn haar schrijnde op mijn hoofd. Even dacht ik dat de roes van de alcohol deze onwerkelijke situatie had opgeroepen.

Mike trok hard aan mijn haren. Met mijn handen probeerde ik mijn evenwicht te bewaren en te voorkomen dat ik viel. Dat kostte veel moeite, ik botste overal tegenaan. Mike trok me nog harder aan mijn haren en begon me naar buiten te sleuren. Ik probeerde los te komen. Met mijn tanden op elkaar en tranen in mijn ogen trok ik zo hard ik kon mijn hoofd terug. Maar hoe vaak ik het ook deed, het lukte niet. Mike was te sterk voor me. Met mijn eigen handen probeerde ik de kracht waarmee hij aan mijn haren trok te verzachten. Met al zijn kracht zwaaide Mike me naar buiten tegen de grond. Mijn gezicht schuurde over de kiezels die in de tuin lagen.

Languit lag ik op de grond. Met mijn hand betastte ik voorzichtig mijn gezicht. Het deed ongelooflijk veel pijn. Ik had de val waarschijnlijk met mijn gezicht opgevangen. Toen keek ik naar mijn hand en schrok. Mijn hand zat onder het bloed! Verbaasd keek ik achterom. Mike stond in de opening van de schuifpui met een biertje aan zijn mond. Met een blik die ik nog nooit van hem had gezien, keek hij me aan.

Ik begon te huilen. Mijn hele lijf trilde. Ik kon niet meer stoppen. Zachtjes fluisterde ik naar Mike: 'Lucht het op?'

Mikes onbekende blik veranderde. Ik hoopte dat hij zou inzien wat hij net had gedaan. Maar het tegendeel was waar. Mike pakte het flesje bier van zijn mond en gooide het met kracht naar me toe. Ik kon het niet meer ontwijken. Het werd zwart voor mijn ogen.

De volgende ochtend stond ik met gemengde gevoelens naar mezelf in de spiegel te kijken. Ik depte met een koud washandje de blauwe, bebloede schaafplek op mijn slaap. Steeds als het washandje tegen de wond aankwam, kromp ik in elkaar van de pijn. De wond moest schoon, dus moest ik even op mijn tanden bijten.

Ik was erg boos op Mike. Tegelijkertijd was ik ook vreselijk bang voor hem geworden. Ik snapte niet hoe hij mij dit kon aandoen. Hij hield toch van me? Hij zou voor me zorgen! Hij had gezegd dat het bij hem beter was dan op het internaat!

Misschien had de alcohol gisteren wel een rol gespeeld, probeerde ik mezelf gerust te stellen. 's Ochtends was Mike altijd zo lief en zorgzaam. Dan liep ik bij wijze van spreken op veertjes, zo'n geweldig gevoel gaf hij me dan. Maar naarmate de dag vorderde, merkte ik dat hij steeds meer gespannen werd onder invloed van de vele vloeibare boterhammen. Ik hoopte dat ik hem er snel van zou kunnen overtuigen dat brood beter was voor hem. Maar diep in mijn hart wist ik dat dat niet zou gaan lukken.

Misschien had ik wel zelf om de situatie van gisteren gevraagd. Als ik nou niet boos was geworden om die paar boodschappen? Dan was er misschien helemaal niks gebeurd. Om te voorkomen dat het niet nog een keer zou gebeuren, zou ik heel voorzichtig moeten zijn en op mijn woorden moeten passen.

In de slaapkamer hoorde ik Mike stommelen. Het zweet brak me uit. Ik hield mijn adem in en wachtte gespannen af wat er ging gebeuren. Ik hoorde hoe Mike langzaam naar de badkamer liep. Mijn hart bonsde in mijn keel. Verdoofd bleef ik naar de deurklink staren. Ik zag hoe hij omlaag ging. De deur ging rustig open.

Mike verscheen in de deuropening. Geschrokken keek hij me aan. Ik wendde meteen mijn gezicht af en keek naar de wasbak. Mike liep de badkamer binnen en pakte voorzichtig mijn kin vast. Hij draaide mijn hoofd naar zich toe. Ik durfde hem niet aan te kijken en sloot mijn ogen.

'Heb ik dat gedaan?' vroeg hij met bevende stem.

Ik keek hem toch maar aan. Ik walgde van hem. Maar ik was nog nooit zo bang voor hem geweest als nu.

Mijn angst moet in mijn ogen te lezen zijn geweest, want Mike begon te huilen. Hij brulde als een klein kind. 'Ik snap niet hoe ik dit heb kunnen doen gisteren,' zei hij tussen zijn tranen door. 'Ik kan mezelf wel voor mijn kop slaan! Hoe kan ik nou iemand van wie ik zoveel hou zo toetakelen?'

Ja, dat vroeg ik me ook af.

Mike moet mijn twijfel hebben gezien, want hij vroeg meteen: 'Je gelooft me toch wel, als ik zeg dat ik van je hou?'

Nu begon ik te twijfelen. Zou hij dan toch om me geven en het niet zo hebben bedoeld?

'Ik zal het echt nooit meer doen. Dit had al niet mogen gebeuren,' zei Mike.

'Nooit meer?' vroeg ik zachtjes.

Mike sloeg zijn armen om me heen. 'Nooit meer! Ik ben er om je te beschermen. Ik zou zelfs mijn leven voor je geven,' zei hij.

Hij klemde mijn pijnlijke gezicht tegen zijn borst aan. Ik hoorde zijn hart bonzen. Hij zal het wel menen, dacht ik, anders maak je je niet zo druk. Als iemand zegt dat hij zijn leven zou geven, moet hij wel heel veel van je houden. Ik voelde de tranen over mijn wangen lopen.

Zonder me ook maar even los te laten, vroeg Mike: 'Je gelooft me toch zeker wel?'

'Ja, ik geloof je wel.'

'Mooi. Dan zullen we nu eerst eens die wond gaan camoufleren.' Mike pakte mijn hand en liep naar de slaapkamer. Hij liet me los bij het bed en zei: 'Ga maar zitten, ik zal wel even tussen Karins spullen kijken of er wat make-up ligt. Dan zullen we die plek mooi wegwerken.'

Ik ging op het bed zitten en wachtte af wat Mike ging doen. Heel professioneel bracht hij de make-up aan op mijn gezicht. Het resultaat mocht er wezen, zag ik toen ik in de spiegel keek. Je zag er bijna niks meer van. Alleen de pijn herinnerde me aan het voorval van gisteren.

Ik merkte aan Mike dat hij zijn best deed om het voorval te vergeten. Maar ik merkte ook dat ik dat niet kon. Ik had een knoop in mijn maag.

Rond een uur of vijf vertrok Mike om een verrassing voor me te halen. Ik was blij dat hij even weg was. Zo kon ik tenminste even ademhalen zonder op mijn tenen te hoeven lopen. Ik ging meteen nog eens mijn gezicht bekijken in de spiegel. Ik voelde aan de zere plek. Het deed nog steeds pijn. Toen ik de make-up had verwijderd, zag je de afdruk van het flesje duidelijk op mijn gezicht staan. Weer moest ik huilen. Terwijl de tranen over mijn wangen stroomden hoorde ik beneden: 'Hallo, is daar iemand?'

Het was Kelly. Gauw antwoordde ik dat ik boven was en eraan kwam. Ik wist niet hoe snel ik in Mikes kamer moest komen om de make-up te pakken. Haastig smeerde ik wat op mijn gezicht en ging snel naar beneden. Ik wilde niet dat Kelly er iets van zou zien, laat staan weten, want ik schaamde me. Ik deed zo normaal mogelijk en begroette haar vrolijk.

'Kijk eens wat ik heb meegebracht,' zei ze en ze haalde een tas tevoorschijn. Nieuwsgierig keek ik toe hoe Kelly de tas uitpakte. Ze haalde er een pak wc-papier uit. 'Het is ook eigenbelang, hoor,' zei ze vrolijk.

Ik kon wel een gat in de lucht springen. Eindelijk een keer wat luxe.

'Sorry, ik weet dat ik je vanmorgen brood zou brengen, maar ik kon niet komen. Vandaar dat ik het nu maar heb meegenomen,' zei ze terwijl ze een pakketje brood uit de tas pakte. Ik pakte het gretig aan. Achteraf was het maar goed dat ze vanmorgen niet was geweest. Ik wist niet wat ik dan had moeten zeggen.

Kelly haalde ook een flesje shampoo uit de tas. 'Die is voor morgen, ik denk dat ik hier blijf slapen. Is dat een goed idee?'

'Ja, gezellig! En bedankt, hè,' zei ik terwijl ik vanbinnen juichte om wat ze allemaal had meegenomen voor me. En omdat ze zou blijven slapen, want dan had ik even tijd om alles te vergeten. Bovendien zou ik veilig zijn als Kelly er was, en dat stelde me gerust. Met plezier ruimde ik de spullen op.

Ineens zei Kelly: 'Zeg, ik zag je moeder laatst lopen. Volgens mij had ze een nieuwe hond.'

Ik wist even niet wat ik moest zeggen. Sinds het laatste, dramatische telefoongesprek had ik mijn moeder niet meer gesproken. Van Paula, die ik een enkele keer belde, had ik gehoord dat ze al een tijdje geleden verhuisd was, maar aan mij had ze niets laten weten. Daaruit maakte ik op dat het dus echt waar was dat ze haar handen van me af had getrokken. Nu Kelly ineens over haar begon, merkte ik dat het me niet onverschillig liet. Ik besloot haar meteen te bellen, nu Mike er toch niet was.

Na één keer overgaan nam mijn moeder al op. 'Hallo?'

'Hoi, met Merel.'

'O, jij bent het,' zei mijn moeder verrast. Gelukkig klonk ze vriendelijk, en uiteindelijk viel het gesprek me wel mee. We praatten wat over haar nieuwe hond en over allerlei kleinigheden. Ze klaagde dat er was ingebroken in haar auto en dat haar autoradio weg was. Ik vroeg me af waarom ik dat moest weten, maar goed, er was in ieder geval weer een soort contact. Bij het afscheid zei mijn moeder dat ik zo vaak als ik maar wilde mocht komen eten. Ik antwoordde dat ik dat zeker zou doen. Nu ik wist hoe weinig ik te eten kreeg bij Mike, was dat nog helemaal niet zo'n slecht idee.

Kelly was in de keuken koffie aan het zetten toen de schuifpui openging. Mike en Job stapten de kamer binnen. Mike had een papieren tas bij zich waaruit de heerlijke lucht van frietjes opsteeg. Ik verstopte mijn kostbare boterhammen in de kelderkast, voor later, als er echt niks meer te eten zou zijn. Het was me duidelijk geworden dat Mike alleen voor zichzelf zorgde wat eten betrof, dus voortaan zou ik dat ook moeten doen.

'Kom je eten?' hoorde ik Mike zeggen.

Het zal wel niet voor mij bedoeld zijn, dacht ik. Maar ik zag Kelly ook niet reageren. Mike stak zijn hoofd om de hoek van de keukendeur en zei: 'Ik heb speciaal voor jou eten gehaald. Kom je?'

Ik wist niet wat ik hoorde, en wist ook niet hoe snel ik bij de tas moest komen die op tafel stond. Gretig at ik alles op wat voor mij bestemd was. Dit kon wel eens de laatste maaltijd zijn die ik kreeg, dus genoot ik dubbel. In mijn hart voelde ik me hartstikke rijk, omdat ik mijn twee boterhammen met smeerkaas had verstopt.

Job keek verbaasd toe terwijl ik alles gretig naar binnen werkte. 'Wanneer heb jij voor het laatst gegeten?' vroeg hij.

'Vanmorgen.'

'Wat heb je dan gegeten?'

'Brood van de hond,' zei ik met mijn mond vol friet.

Met opgetrokken wenkbrauwen keek Job naar Mike. 'Je zorgt toch wel goed voor haar?' vroeg hij een beetje boos.

'Dat zie je toch,' zei Mike laconiek.

Na het eten begon Mike weer aan zijn biertjes. Het was me inmiddels duidelijk dat hij niet alleen dronk om zijn honger te stillen. Hij had immers net zijn eten op. Het viel me wel op dat hij meer dronk dan anders. Ik hield mijn hart vast om wat er zou komen. Op zich was het niet ongezellig, er hing een redelijk ontspannen sfeer.

Rond een uur of tien kwam Barbara op bezoek. Mike vroeg haar met dubbele tong of ze ook een biertje wilde. Ze keek even op tafel om te zien of er nog flesjes stonden, zodat ze er zelf een kon pakken. Mike merkte dit op en zei: 'Ik moet toch naar de keuken. Ik lust er zelf ook nog wel een.'

Barbara knikte en kletste vrolijk met ons verder.

Even later kwam Mike weer binnen met zijn flesjes. Hij zette ze net iets te hard op tafel.

Er viel een stilte. Iedereen keek naar Mike.

'Heb je er genoeg op?' vroeg Barbara.

Mike keek haar een beetje venijnig aan en antwoordde: 'Ik ga naar boven.' Hij stampte de trap op. Ik slaakte een diepe zucht. Er viel een last van me af. Zolang hij boven lag te slapen, hoefde ik niet bang te zijn. Zeker niet als Kelly ook bleef slapen.

De sfeer was nu nog meer ontspannen. Ik leerde Barbara op een leuke manier kennen, en Job ook. Die twee konden het goed met elkaar vinden. Barbara vertelde dat ze die dag geen zin had om te werken. Maar Ron verwachtte wel geld, omdat de huur van het raam betaald moest worden.

'Joh,' zei Job uitgelaten, 'ik heb een idee. Als ik mijn vader nou eens bel en zeg dat ik je pooier ben en voor hem wel een vriendenprijsje kan regelen, dan heb je tenminste geld voor Ron.'

Barbara dacht er even over na. 'Ja, dat is niet eens zo'n slecht idee. Maar dan moeten we zeker weten dat Mike boven niks merkt, anders vertelt hij alles meteen aan Ron.'

'Ja, daar heb je gelijk in,' zei Job. 'Weet je wat? Ik bel die ouwe even.' Hij keek naar mij. 'Kijk jij dan boven even of Mike slaapt?'

'Dat is goed. Loop jij mee?' vroeg ik aan Kelly.

Samen gingen we naar boven. We giechelden een beetje, want het was natuurlijk heel spannend. Heel zachtjes openden we de deur van Mikes slaapkamer. Het gesnurk kwam al onze kant op. Hij lag languit op zijn rug te slapen.

Ineens hield het snurken op en leek het of hij niet meer ademde. Ik schrok en schreeuwde: 'Hij is dood! Kelly, hij ademt niet meer!' Ik vloog naar hem toe en schudde hem door elkaar. Mike gaf geen kik en was zo slap als een vaatdoek. Ik haalde de dekens weg en zonder iets te zeggen keken we gespannen naar zijn borst.

'Joh,' zei Kelly lachend, 'kijk, hij ademt gewoon heel langzaam. Hij is gewoon hartstikke dronken.'

Opgelucht haalde ik adem. 'Nou, dat komt mooi uit,' zei ik. 'Als hij hier niet wakker van wordt, hoeven we ons geen zorgen te maken dat hij iets merkt van wat er beneden gebeurt, toch?'

'Ja, dat is zo. Kom, dan gaan we het ze beneden vertellen.'

Beneden hoorden we dat Job net de hoorn van de telefoon neerlegde. 'Zo, over een kwartiertje is hij hier,' zei hij tegen Barbara. 'En hoe is de situatie boven?' vroeg hij ons.

'Hij ligt knock-out. Die merkt niets, als het goed is,' meldde ik.

'Nou, dan is het geregeld. Jullie gaan naar boven voordat mijn vader binnenkomt, om op te letten dat Mike niet wakker wordt. Als hij wel wakker wordt, zul jij je charmes in de strijd moeten gooien om hem af te leiden, Merel. Lukt dat, denk je?'

Ik kreeg het warm, maar liet me niet kennen. 'Ik denk het wel,' zei ik. Ik vond eigenlijk dat ik zijn problemen niet hoefde op te lossen. Maar ach, laat ook maar, dacht ik.

Na tien minuten liepen Kelly en ik naar boven. We gingen boven aan de trap zitten en wachtten gespannen. Na vijf minuten ging de bel. Kelly en ik durfden bijna niet te ademen, zo bang waren we dat we betrapt zouden worden door Jobs vader.

We hoorden hoe Job zijn vader begroette. We konden niet verstaan wat er precies werd gezegd. Kelly en ik keken elkaar aan toen het stil werd in de gang.

'Wat nu?' fluisterde Kelly.

Ik haalde mijn schouders op. 'Ik weet het niet. Wat denk jij?'

De kamerdeur ging open. Het was Job, die biertjes ging halen voor Barbara. Die had ze nodig omdat ze het eng vond om in het huis van haar ex geld te verdienen.

'Alles goed boven, dames?' vroeg hij ons.

'Ja hoor,' zei Kelly, 'alleen een beetje saai.'

'Kom maar naar beneden als de kust veilig is,' zei Job.

Na nog een kwartiertje gingen we toch maar naar beneden. We konden het niet laten om stiekem aan de deur te luisteren, waar we alles beter konden horen. Voorzichtig legden we onze oren tegen de deur. We hoorden een hoop lawaai.

'Hebben ze nou ruzie?' fluisterde ik.

'Je zou het haast denken.'

'Heb je geen geld bij je?' hoorden we Job met luide stem vragen. De deur werd geopend. Kelly en ik stonden nog gebukt tegen de deur, terwijl Jobs vader in de deuropening stond. Hij keek ons verbaasd aan. Kelly en ik werden zo rood als een kreeft.

Meteen vloog Job achter zijn vader vandaan. Hij schreeuwde naar ons: 'Wel verdorie! Ik heb jullie nog zo gezegd om bij die klant te blijven!'

Nou ja, wat is dit? dacht ik verbaasd.

'Sorry, pa, maar dit zijn twee andere meisjes van mij. Dit zijn Anita en Mary. Zoals je ziet, moeten ze nog veel leren,' ging Job haastig verder. Zijn vader leek niet al te zeer onder de indruk, want hij keek ons niet aan. Hij liep verder door de hal naar de buitendeur. Met zijn hand op de deurklink stond hij even stil en keek Job met een doordringende blik aan. 'Zorg dat je die twee gauw kwijtraakt. Ze zijn hartstikke jong, daar krijg je alleen maar trammelant mee,' zei hij.

'Zeur toch niet zo, pa,' zei Job. 'Ga je nou nog geld halen of hoe zit het?'

'Ja ja!' Job en zijn vader gingen naar buiten. Kelly en ik liepen naar binnen, de woonkamer in. Daar zat Barbara.

'Wat is er gebeurd?' vroeg ik haar.

'Je zult het niet geloven. Hij had bijna een wip gemaakt terwijl hij geen rooie cent bij zich had. Gelukkig heb ik van Ron geleerd dat je altijd eerst om je geld moet vragen, anders heb je kans dat ze je nooit betalen.'

Ik durfde Kelly niet aan te kijken. Wat Barbara allemaal zat te vertellen, was compleet nieuw voor mij. Ik had geen idee hoe die wereld in elkaar stak.

Terwijl ze haar sigaret opstak en ons met haar andere hand het pakje voorhield om er een uit te pakken, vroeg ze: 'Hoe is het boven? Heeft hij niks in de gaten?'

'Nee, die ligt knock-out,' stelde ik haar gerust.

'Geloof mij maar, als hij erachter komt, is het huis te klein. Ik ben niet bang voor hem. Hij weet dat hij mij niet moet bedreigen. Maar hij zal het jullie wel kwalijk nemen. Zorg samen met Job dat jullie buiten schot blijven.'

Dat klonk onheilspellend, maar ik wist dat ze gelijk had. Gelukkig veranderden we van onderwerp en lachten we een beetje om van alles en niets.

Job kwam weer binnen. Barbara vroeg meteen: 'Waar is die ouwe van je?'

'Ja, dat is een goeie,' zei Job. 'Wist ik het maar. Ik bleef in de auto zitten wachten terwijl hij naar binnen ging om geld te halen. Toen hij weer naar buiten kwam, zette hij het op een hollen. Die ouwe is nog vliegensvlug. Hij rende een steegje in. Ik ben er nog achteraan gegaan, maar kon hem niet meer vinden. Sorry, Barbara, maar naar je geld kun je fluiten. Die komt echt niet meer terug.'

'Klootzak!' was het enige commentaar van Barbara.

De dagen daarna was Mike superlief. Al snel was ik vergeten hoe gewelddadig hij kon zijn als hij had gedronken. Mike gaf me het gevoel dat ik zijn engeltje was. De belangrijkste persoon die er was. Hij legde me in de watten. Ik genoot daar ontzettend van. Ik had dat thuis zo lang gemist. Mijn moeder had het te druk met mijn stiefvader en mijn broertje. Mijn vader had zijn nieuwe gezin. Maar bij Mike was ik belangrijk! Dat was zo'n fijn gevoel. Ik liep helemaal op wolken.

'Vanavond komen Kelly en Job,' vertelde Mike terwijl hij mijn rug aan het masseren was op de bank.

'O,' zei ik afwezig, en ik genoot van de warme handen op mijn rug.

Mike hield op met masseren en zei: 'We gaan vanavond een inbraak voorbereiden.'

Geschrokken kwam ik overeind en ging tegen de leuning van de bank zitten. 'Hoezo, we gaan een inbraak voorbereiden?' stamelde ik.

'We hebben geld nodig,' zei Mike op een toon alsof hij tegen een klein kind sprak.

'Maar we redden het zo toch ook wel?'

'Job heeft ook geld nodig,' zei Mike kortaf.

Oké, dacht ik, nu moet ik voorzichtig zijn met wat ik ga zeggen. Ik moest een smoesje verzinnen om het onderwerp even te laten rusten. 'Wil je koffie?' Ik stond op en liep naar de keuken.

Mike mompelde iets. Ik beschouwde het maar als ja. Terwijl ik tegen het aanrecht geleund stond en naar de koffiepot staarde, kon ik maar aan één ding denken: aan de inbraak die ze wilden gaan plegen. Waarom vertelde Mike dit nou aan mij? Ik ging er echt niet aan meedoen. Kelly zou die avond komen, dus ik hoopte dat ik met haar iets zou kunnen gaan doen om uit de buurt van de inbraak te blijven.

In de woonkamer hoorde ik de schuifpui open- en dichtgaan. Ik keek even om het hoekje. Er was niemand. Mike was weg.

Rond een uur of half zeven kwam Kelly binnenstappen. 'Hé, Merel, alles goed?' zei ze vrolijk.

'Hmm, niet echt.'

'O, vertel eens?' vroeg ze nieuwsgierig. Ze kwam naast me zitten. Ik vertelde wat Mike vanmiddag had gezegd.

'Spannend!' Kelly klonk opgewonden.

'Dat meen je niet.' Ik schoof een stukje bij haar vandaan. 'Dat kan niet, hoor, jij kunt niet meedoen. Het wordt steeds gekker hier, straks gaat het mis en worden wij ook opgepakt.'

'Nee, joh, wij blijven thuis. Ons kunnen ze niks maken als ze opgepakt worden. Ik blijf hier voor de zekerheid wel slapen,' stelde ze me gerust.

Nog geen kwartiertje later kwamen Job en Mike door de schuifpui binnen, met een tas vol eten. Heerlijk rook het, naar Chinees. Ik kon me niet herinneren wanneer ik dat voor het laatst had gegeten. Al snel had ik mijn buik vol. Het leek wel of ik steeds minder kon eten en snel vol zat, terwijl ik zo'n honger had. Het was in ieder geval heel gezellig en er werd veel gelachen.

De fijne sfeer was snel verdwenen toen Job ineens zei: 'We moeten even doornemen welke rol de meiden gaan spelen.'

Kelly en ik keken elkaar aan. 'Hoezo rol?' vroeg Kelly. Tot mijn verbijstering was ze enthousiast.

'Nou,' ging Job verder, 'ik had gedacht dat jij en ik op de uitkijk gaan staan voor het pand, zodat Mike naar binnen kan.'

'Gaaf!' zei ze. 'En hoe gaan we dat doen?'

'We doen net of we een verliefd stelletje zijn. Beetje knuffelen en zoenen. Zien we iets verdachts, dan moet Merel Mike waarschuwen.'

Ik schrok zo van het feit dat ik ineens een rol kreeg toegewezen, dat ik in verzet kwam. Ik stampte door de kamer, schreeuwde en maakte Kelly verwijten. Mike gooide kwaad zijn bord op tafel en keek mij met grote ogen aan. Ik verstijfde helemaal, en wist dat ik nu heel erg op mijn woorden moest letten. Maar mijn woede maakte me roekeloos, en ik dacht dat ik veilig was omdat Job en Kelly er waren. Ik speelde hoog. 'Jullie doen maar!' riep ik stoer. 'Maar ik doe er niet aan mee. Ik blijf hier!'

Mike werd vuurrood. Hij pakte me bij mijn arm en sleurde me de keuken in. Hij schreeuwde dat ik ondankbaar was en kneep nog harder in mijn arm.

'Je doet me pijn,' zei ik met een piepstemmetje. Ik wist dat ik een fout had gemaakt.

Met een ruk liet hij los. Met grote stappen beende hij de keuken uit.

'Ze gaat gewoon mee,' hoorde ik hem tegen Kelly en Job zeggen. Ik wreef over mijn pijnlijke arm en besefte dat ik geen keus had.

Die avond stonden Job en Kelly voor een gevel van een klein kantoortje te vrijen. Mike was met een schroevendraaier een kozijn aan het forceren. Ik kon bijna niet op mijn benen staan, zo bang was ik. Ik kon mezelf steeds minder beheersen. Ik dacht alleen maar dat als ik hard zou wegrennen, ik er misschien het beste van af zou komen.

Terwijl Mike heel zachtjes en geconcentreerd zijn schroevendraaier tussen het kozijn zette, liep ik stapje voor stapje achteruit. Toen ik een paar meter bij hem vandaan was, draaide ik me om en rende zo hard ik kon weg.

'Shit!' hoorde ik Mike achter me schreeuwen. Ik wist dat ik nu heel hard moest rennen. Maar hoe hard ik ook mijn best deed, Mikes stappen werden steeds luider, wat erop duidde dat hij me bijna had ingehaald. Ik vluchtte een steegje in, maar had verkeerd gegokt: het steegje liep dood. Van schrik struikelde ik en viel op de grond.

Ik probeerde me om te draaien om te kijken hoe dichtbij Mike was, maar het was al te laat. Voor ik me kon verroeren, zat hij boven op me. Hij schreeuwde van alles. Met zijn handen drukte hij mijn handen naast mijn hoofd tegen de grond. Even liet hij los om zijn schroevendraaier te pakken, die hij had laten vallen. Ik dacht de kans te kunnen benutten om overeind te komen, maar ik was niet snel genoeg. Hij had me alweer bij mijn handen gepakt.

Opeens zag ik zijn gezicht bleek worden. Verbaasd keek

hij naar mijn gezicht en toen weer naar mijn hand. Ik keek nu ook opzij en schrok me dood. Mijn hand zat vol bloed! Maar ik voelde niks, hoe kon dat nou? Waar kwam dan al dat bloed vandaan?

Mike ging van me af en stond op. Dat gaf mij de ruimte om overeind te komen. Ik keek naar mijn hand. Ik wilde het bloed wegvegen, maar dat hielp niks. Het bleef gewoon doorbloeden.

Toen besefte ik dat Mike me had gestoken met de schroevendraaier. Als een bang vogeltje riep ik met een verontwaardigd piepstemmetje: 'Je hebt me gestoken! Je hebt me gestoken!' Hoe vaak ik het gezegd heb, weet ik niet meer, maar elke keer dat ik het herhaalde, werd Mike bleker. Hij begon te huilen en snikte alleen maar dat hij het niet zo had bedoeld. Het enige wat ik dacht, was dat ik er zelf om had gevraagd. Ik wist donders goed dat het menens was vanaf het moment dat ik werd opgedragen mee te doen aan de inbraak. Was ik maar niet zo eigenwijs geweest.

Terwijl ik met mijn t-shirt het bloeden probeerde te stelpen, vroeg ik waar Job en Kelly waren. 'Die zijn allang weer naar huis gegaan. Die zagen het niet meer zitten toen jij wegrende. Kom,' ging hij verder terwijl hij mijn arm pakte, 'wij gaan ook naar huis. Het is mooi geweest zo.'

Voorzichtig stond ik op. Ik keek naar mijn hand, die ik in mijn t-shirt had gewikkeld. De wond bleef maar bloeden, mijn shirt kon het bloed niet tegenhouden. Mijn oren begonnen te suizen toen ik rechtop stond. Voor ik het besefte werd het zwart voor mijn ogen…

Ik probeerde mijn ogen te openen, maar dat werd bemoeilijkt door een fel licht. Ik snapte niet waar dat vandaan kwam. Op de achtergrond hoorde ik Mike schreeuwen: 'Ze komt bij! Er moet iemand komen!'

Nu zag ik waar ik was. Ik lag in een klein wit kamertje, omringd door allerlei verbandjes en steriele gaasjes. Meer tijd om te beseffen dat ik in het ziekenhuis lag en wat er was gebeurd, kreeg ik niet. Er kwam al een verpleegster aan. Ze vroeg vriendelijk maar dringend aan Mike of hij ons even alleen wilde laten. Mike liep op mij af en deed alsof hij me een zoen op mijn wang wilde geven. In plaats daarvan fluisterde hij in mijn oor: 'Als ze vragen wat er is gebeurd, verzin je maar een verhaal. Maar je verraadt mij niet, begrepen?' Verdoofd keek ik hem na terwijl hij de kamer verliet.

De verpleegster kwam naast mijn bed zitten en vroeg met vriendelijke stem: 'Hoe voel je je?'

'Het gaat wel. Hoe ben ik hier terechtgekomen?'

'Je vriend heeft je hier gebracht. Hij vertelde dat je je bij het aardappelen schillen hebt gesneden. Volgens hem zou je door de schrik zijn flauwgevallen.'

'Ja, ja, klopt,' zei ik snel.

'Ik vind het een beetje een vreemd verhaal. Van een aardappelschilmesje krijg je niet zo'n wond, en val je ook niet zo snel flauw. Laat ik het zo zeggen,' zei ze zuchtend. 'Je vriend is een bekende van ons en van de politie. We weten waartoe hij in staat is. Ik denk dat hij jou die verwondingen heeft toegebracht. Dat je bent flauwgevallen staat los van de verwondingen. Dat komt doordat je ondervoed bent.'

Ik schrok van die laatste woorden en vroeg hoe ze dat wist.

'We hebben wat bloedtestjes gedaan nadat we je wond

hebben behandeld. Je bent erg mager en bleek. Je ogen staan heel donker in je gezicht. Uit het bloedonderzoek is gebleken dat je een ijzertekort hebt. Daar krijg je medicijnen voor mee. Wil je aangifte tegen hem doen, voor wat er is gebeurd?'

'Nee!' zei ik fel. 'Dat nooit!'

'Oké,' ging ze verder, 'dat kan ik niet voor je beslissen. Maar er wordt wel een aantekening van je behandeling gemaakt. Dat zijn we verplicht. Mocht je ooit toch nog aangifte willen doen, dan kun je het dossier opvragen. Je mag in ieder geval weer naar huis.' Ze gaf me de pillen. Voor ze de kamer verliet, bedankte ik haar voor de goede zorgen. Ze antwoordde met een knipoog en liep weg.

Terwijl ik nog naar mijn potje pillen keek, kwam Mike alweer binnen.

'Kom,' zei hij en hij pakte me bij mijn arm, 'we gaan naar huis.' We liepen stil naar huis, allebei verzonken in onze eigen gedachten.

Thuis liet Mike me als eerste naar binnen gaan. Het was stil in huis. Kelly en Job waren er niet, en daar was ik niet blij mee. Achter me hoorde ik dat Mike de schuifpui sloot. Ik wilde op de bank gaan zitten, maar werd heel hard in mijn rug geduwd. Ik viel voorover op de bank.

'Wat heb je gezegd in het ziekenhuis?' schreeuwde hij naar me.

'Ik heb helemaal niks gezegd.'

Met grote stappen kwam hij op me af. Hij sloot beide handen om mijn keel en drukte hem stevig dicht. 'Hoe kom je dan aan die pillen!' schreeuwde hij.

Ik kon geen antwoord geven. Hij duwde steeds harder op

mijn keel. Ik voelde een druk achter mijn ogen en dacht dat mijn hoofd uit elkaar zou spatten. Voor de tweede keer die dag hoorde ik mijn oren suizen en werd het zwart voor mijn ogen.

Een muffe, vochtige lucht drong mijn neus binnen. Verdwaasd kwam ik tot de conclusie dat ik onder aan de keldertrap lag. Dit kon zo niet langer, ik moest echt weg hier. De hele situatie was totaal uit de hand gelopen. Morgen ga ik, nam ik me voor. Op de koude vloer viel ik in slaap.

Ik werd wakker van Mikes voetstappen op de gang. Gespannen luisterde ik waar hij heen ging. Ik was stijf en koud en elke beweging deed me pijn. Bij de deur van de kelder bleef hij staan. Het slot ging langzaam open. In de deuropening riep Mike dat ik naar boven kon komen. Langzaam kwam ik overeind. Het ging moeizaam. Alles in mijn lijf deed zeer. Voorzichtig liep ik de trap op. Mijn spieren waren pijnlijker dan mijn hand. Dat stelde me gerust.

Moe en bang ging ik op het hoekje van de bank zitten. 'Wil je koffie?' vroeg Mike vanuit de keuken.

'Ja, doe maar,' riep ik terug. Mijn maag rommelde weer, maar ik voelde me nu ook misselijk. Mijn gedachten dwaalden af. Ik moet weg hier. Mike is niet meer de persoon voor wie ik gevallen ben. De oude Mike gaf me altijd een goed gevoel over mezelf. Nu voel ik alleen maar angst. Als hij vandaag weggaat en me alleen achterlaat, ga ik ervandoor, nam ik me voor. Alleen wist ik nog niet waar ik naartoe kon. Mijn moeder had me goed duidelijk gemaakt dat ik bij haar niet hoefde aan te kloppen als ik bij Mike bleef, en bij het internaat kon ik natuurlijk ook niet meer terecht.

Mike ging naast me op de bank zitten en gaf me een mok

koffie aan. Ik nipte eraan en snoof de sterke geur op. Mike nam de moeite niet om me aan te kijken. Hij staarde naar niets terwijl hij in zijn koffie roerde.

'Ik heb slecht nieuws,' verbrak hij de stilte.

Die opmerking deed me niks. Slechter dan gisteren kon het niet zijn. Ik reageerde niet.

'Ik moet vandaag de bak in vanwege dat akkefietje met die bekeuringen die ik nooit heb betaald,' zei Mike.

Mijn hart maakte een sprongetje van blijdschap. Het leek wel of de hemel openbrak en de zon begon te schijnen. Dit was geen slecht nieuws! Dit was fantastisch nieuws! Ik kon vandaag nog weggaan! Ik zorgde ervoor dat Mike niets van mijn blijdschap merkte, want hij zou er alles aan doen om te voorkomen dat ik wegging.

'Kelly, Job en Ron brengen me vandaag naar de gevangenis,' ging hij verder. 'Ga je ook mee, of blijf je liever thuis? Ik kan begrijpen dat je het moeilijk vindt om daar afscheid van me te nemen.'

Nu kwam het erop aan. Nu moest ik echt goed toneelspelen en net doen of mijn hart zou breken als hij weg zou gaan. 'Nee, natuurlijk ga ik mee om je weg te brengen,' zei ik poeslief.

Mike sloeg een arm om me heen, trok me tegen zich aan en gaf me een kus op mijn hoofd. Stevig hield hij me vast. 'Ik had ook niks anders van je verwacht. Je bent gewoon een wereldwijf,' fluisterde hij geëmotioneerd.

Ja, ja, dacht ik, en wat er gisteren is gebeurd doet er zeker niet toe. Mijn hart begon hard te kloppen in mijn keel toen Mike me opeens optilde. Ik had een vermoeden van wat er ging gebeuren. Voorzichtig droeg Mike me de trap op. Met een doordringende blik zei hij schor: 'Laat me nog een keer zien hoeveel je van mij houdt. Wie weet hoe lang dat straks niet meer kan.'

Mike legde me boven op bed. Ik wist dat ik nu iets vreselijk moeilijks moest doen. En ik wist dat ik het voor mijn eigen veiligheid moest doen. Ik moest vrijen met de persoon voor wie ik ontzettend bang was geworden.

Mike lag naast me op bed te slapen. Ik staarde naar het plafond. Ik wilde huilen, maar er kwamen geen tranen. Vrijen met deze Mike was het moeilijkste wat ik ooit had gedaan. Hij was grof en hardhandig, helemaal niet zoals hij anders was als we vrijden. Ik voelde me vies, maar stelde mezelf gerust met de gedachte dat ik vandaag de deur van dit huis achter me dicht kon trekken.

Veel tijd om na te denken had ik niet. Beneden werd de schuifpui alweer geopend.

'Hoi!' hoorde ik Kelly en Job roepen. Mike werd meteen wakker. Hij sprong overeind en liep de slaapkamer uit. Ik strompelde naar de badkamer om me een beetje op te frissen. Terwijl ik de washand over mijn lijf liet glijden, dacht ik aan de herinneringen die ik had aan Mike.

Ik dacht aan de heerlijke vrijpartijen, aan de lol die we samen hadden gehad en aan het speciale gevoel dat hij me altijd gaf en dat ik zo hard nodig had. Maar vooral aan hoe beschermd ik me voelde als hij in de buurt was. Vandaag was de laatste dag dat hij me in levenden lijve zou zien. Vanaf morgen was ik slechts een herinnering voor hem. Die gedachte maakte me sterk en strijdlustig. Ik zou er zelf op toezien dat hij inderdaad achter de tralies zou gaan!

Niet veel later zaten we met z'n vijven in Rons auto. Mike, Kelly en ik zaten achterin en Job zat naast Ron. Voor het eerst stond ik erbij stil dat het raar was dat Mike en Ron ruzie om mij hadden gemaakt en dat Ron hem nu naar de gevangenis bracht. Maar het kon me eigenlijk niks meer schelen.

Onderweg gingen we langs bij een wegrestaurant om wat te drinken. Er was een zelfbedieningsbuffet. Terwijl Ron, Kelly en ik iets gingen uitzoeken, liepen Job en Mike luidruchtig door de zaal. Mensen die daar aan de tafeltjes zaten te eten, keken verbaasd op. 'Kun je het zien?' vroeg Job hard als hij zag dat iemand naar ze keek. Mike was intussen bezig kapstokken ondersteboven neer te zetten. Ik schaamde me om hen zo bezig te zien. Ik zag bezoekers met kleine kinderen angstig vertrekken. Kelly vond het allemaal prachtig en schaterde het uit. Ron maakte zich nergens druk om en ging rustig verder met drankjes uitzoeken.

Job kwam naast Ron staan en keek in de vitrine. Hij pakte een haring, nam er een hap van en legde hem weer terug. 'Bah, wat goor! Dat ze deze troep verkopen!' zei hij luid tegen Ron.

Ron keek nog steeds niet op of om. Job ging nog een tijdje zo door. Even proeven, terugleggen en mopperen.

Ron had in de auto gezegd dat hij zou trakteren. Ik wilde geen misbruik maken van zijn gulheid en pakte alleen een broodje en een pakje melk. Toen Ron alles betaald had, namen we plaats aan een tafeltje in de zaal. Alleen een ouder echtpaar was blijven zitten. Job had ze opgemerkt. Hij liep weer terug naar het buffet en pakte twee kopjes koffie. 'Hier,' zei hij, 'omdat jullie zo stoer zijn.' Hij reikte het echtpaar de twee kopjes aan en schonk ze een vriendelijke glimlach.

Ron betaalde ook de schade die Job en Mike hadden

aangericht. Daarna reed hij ons zwijgend naar de gevangenis.

In het dorpje waar de gevangenis was, gingen Job, Ron en Kelly wat drinken in een kroegje dat op honderd meter afstand van de gevangenis lag. Ze vonden dat ik wat tijd alleen moest hebben met Mike, zodat we gepast afscheid konden nemen van elkaar. Daarna zou ik ze opzoeken in het kroegje.

Mike had zijn arm om me heen gelegd en zwijgend liepen we naar het ijzeren hek voor de toegangspoort van de gevangenis. Voor het hek bleven we staan. Mike draaide zich naar me toe. Hij legde zijn handen op mijn gezicht. Eerst zacht, toen met meer druk, tot zijn vingers hard tegen mijn wangen aan duwden. Met een blik in zijn ogen die ik nog nooit had gezien, keek hij me aan. Mike drukte zijn lippen hard tegen de mijne. Zijn handen duwden nog harder tegen mijn gezicht. Misselijkheid golfde door me heen en ik werd verlamd door een gevoel van angst. Dit zou weer anders uitpakken dan ik dacht.

Ineens haalde hij zijn mond van de mijne. Ik keek verbaasd in zijn ogen. Een van zijn handen gleed nu van mijn wang af. Zijn vingers streken over mijn huid en dwaalden van mijn wang naar mijn hals. Mijn hart bonsde zo hard dat ik bang was dat Mike het zou horen. Op het moment dat zijn hand bij mijn nek kwam, wist ik dat er iets ging gebeuren. Ik stelde mezelf gerust met de gedachte dat hij toch moeilijk hier voor de deur van de gevangenis mijn keel kon dichtknijpen.

Mikes hand kwam tot stilstand rond mijn hals en sloot zich eromheen. Zijn andere hand haalde hij van mijn wang af, en hij liet hem in zijn broekzak glijden. Terwijl hij iets uit zijn zak haalde, bleven we elkaar aankijken. Hij opende zijn hand voor mijn gezicht.

'Kijk,' zei hij. 'Kijk eens wat ik hier heb.'

Ik draaide mijn gezicht naar zijn hand om te kijken, maar op dat moment duwde Mike zijn duim van de hand die om mijn nek zat, heel hard in het kuiltje van mijn hals. De pijn en paniek die ik voelde opkomen, moest ik proberen de baas te blijven. Hij wil me gewoon bang maken, maar dat zal niet lukken, dacht ik. Ik speel het spelletje gewoon mee.

In zijn hand lag een zwarte knop.

'Wat wil je hiermee?' Ik perste de woorden uit mijn dichtgesnoerde keel.

'Dit,' zei hij ijzig, 'is het knopje van je moeders autoradio.'

Even vergat ik waar ik was. Ik had Mike niet verteld waar mijn moeder naartoe was verhuisd. Hij had er ook niet naar gevraagd. Ik dacht dat ik veilig naar haar toe zou kunnen gaan als ik vanmiddag bij hem wegvluchtte en dat ik van daaruit dan wel weer verder zou zien.

'Ik weet waar ze woont,' ging hij verder. 'Als jij me ooit verlaat, maak ik haar koud!'

Mijn lichaam verstijfde. Ik wist niet wat ik hoorde. Voor het eerst realiseerde ik me hoeveel ik van mijn moeder hield. Ik zou nooit op mijn geweten willen hebben dat haar iets zou overkomen. Ik voelde hoe de moed me in de schoenen zonk.

Mike liet me los en liep langs me heen. Voor het hek draaide hij zich om. 'O ja,' riep hij. 'Job slaapt in mijn huis. Hij blijft daar tot ik terugkom. Hij zal je in de gaten houden. Je zult nooit te weten komen wanneer ik weer terugkom.'

Tranen rolden opeens over mijn wangen. Ik kon ze niet meer tegenhouden. Daar stond ik dan. Ik was vijftien jaar oud en zat voor zo lang als Mike het wilde aan hem vast.

DEEL TWEE

De eerste dagen dat Mike in de gevangenis zat, liep ik met mijn ziel onder mijn arm door het huis. Iedereen dacht dat ik hem miste en deed zijn best om me op te vrolijken. Maar ik miste Mike helemaal niet. Ik probeerde wanhopig te bedenken hoe ik weg kon komen uit deze situatie. Waarschijnlijk had Mike dat al begrepen voordat hij naar de gevangenis ging. Hij had er alles aan gedaan om me tegen te houden. Dat hij daar onschuldige mensen in zou betrekken, deed hem duidelijk niks.

Er was niks te eten in huis. Het enige wat Mike geregeld had, was een oppas voor mij. Hoewel Mike de bakker had verboden nog langer brood voor de hond aan mij te geven, kreeg ik toch af en toe een korst brood van hem. Ik zag duidelijk dat die man medelijden met me had. Als Kelly kwam, nam ze trouw twee boterhammen met smeerkaas voor me mee. Vaak zorgde ik dat ik tussen de middag bij Barbara langsging, die vlakbij woonde. Zij at dan samen met haar kinderen en haar moeder brood. Natuurlijk kon ik daar niet elke dag gaan eten. De keren dat ik er wel heen ging, smaakten de boterhammen met kaas en jam die ik van haar kreeg des te lekkerder. Ik hielp altijd even met de afwas en met een volle buik ging ik weer naar huis.

Soms ging ik langs bij mijn moeder. Hoewel onze relatie moeizaam was, zette ik mijn tegenzin om haar te spreken opzij bij het vooruitzicht dat ik van haar een boterham of iets anders te eten kon krijgen. Ze zei elke keer heel duidelijk: 'Je kunt hier zo vaak komen eten als je wilt, maar geld geven doe ik niet. Ik weet dat je het dan aan Mike moet geven en dat hij er bier voor koopt. Dat wil ik niet, begrijp je?' Natuurlijk begreep ik dat en ik was er nog blij mee ook. Ze had gelijk, het geld zou inderdaad naar hem toe gaan en ik zou er niks van zien.

Ook had ik een keer bij mijn vader gegeten. Zijn vrouw had een grote pan macaroni gemaakt. Ik had die hele pan leeggegeten. Mijn vader en zijn vrouw zaten met grote ogen te kijken hoe ik zat te bunkeren. Eigenlijk had ik ook aan contact met hen helemaal geen behoefte, maar omdat ik zo'n honger had, maakte ik gretig gebruik van hun uitnodiging om te komen eten. Daarna maakte ik me zo snel mogelijk weer uit de voeten.

De tijd ging snel voorbij. Van Job had ik weinig last, want hij was bijna nooit thuis. Desondanks wist hij wel al mijn gangen na te gaan. En 's avonds als ik in bed lag, kwam hij altijd even zijn verhaal doen na het stappen. Hij vertelde met welke meiden hij seks had gehad en of hij nog had gevochten. Het was best gezellig om even te kletsen; tenslotte woonden we in hetzelfde huis.

Voor ik het wist was er een week voorbij. Op een avond zei Job dat we de volgende dag het huis moesten opknappen omdat de kinderbescherming zou komen. Hij had Mike beloofd ervoor te zorgen dat het er netjes uit zou zien. Die ochtend werd ik al vroeg wakker van muziek uit de woonkamer. Ik sprong uit bed en liep naar de badkamer om me te wassen. Terwijl ik mijn haar in een staart deed, liep ik de trap af. Ik keek even door de deuropening de woonkamer in en zag Job al druk aan de gang met het witten van het plafond. 'Goedemorgen!' zei ik tegen hem. Zonder van zijn werk op te kijken groette hij terug. De geur van koffie kwam me tegemoet. Ik liep naar de keuken en vroeg over mijn schouder of hij ook een bakkie lustte.

Terwijl ik twee kopjes koffie aan het inschenken was, hoorde ik Kelly de woonkamer binnenkomen en met Job praten. Toen ik naar binnen liep met de koffie, zag ik dat ze oude kleren aanhad.

'Help jij vandaag ook mee?' vroeg ik haar.

'Ja, is dat goed?'

Ik moest lachen. 'Ja, natuurlijk is dat goed. Gezellig!'

Zachtjes zette ik de kopjes op tafel en we gingen alle drie op de bank zitten.

Vijf minuten later stond opeens de buurman voor de schuifpui.

'Goedemorgen!' begroetten we hem vrolijk. 'Lust je ook koffie?'

'Nou, daar zeg ik geen nee tegen,' antwoordde hij en hij kwam ook op de bank zitten. Terwijl Kelly naar de keuken ging om koffie voor hem in te schenken, vertelde hij dat hij in de kelder nog een kleed had liggen. Wat hem betrof mochten we dat onder onze tafel leggen. Het kleed was opgerold en zat onder de poeder tegen vlooien, maar we hoefden het alleen even schoon te zuigen en dan was het weer zo goed als nieuw. Dat leek ons wel wat.

'Wat ben je eigenlijk van plan?' vroeg de buurman aan Job.

'Mike heeft me de vrije hand gegeven,' antwoordde Job. 'Ik wil de vloer eruit halen zodat er een houten vloer overblijft, de muren wil ik wit verven en de stopcontacten zwart. Wat voor kleur is dat kleed eigenlijk?'

'Zwart,' zei de buurman.

'Dat komt goed uit,' zei Job. 'Dan wordt het een zwartwitte kamer. De bank is ook wit. Als jij die nou eens schoonmaakt?' Job keek naar mij. Ik knikte.

'Ik help wel met schilderen,' zei Kelly, die inmiddels weer de woonkamer was binnengekomen.

Na een half uurtje ging de buurman weg. Opgewekt en vol energie gingen we aan de slag. De tijd ging zo snel voorbij dat we niet in de gaten hadden dat het al laat in de middag was toen het klaar was. Job ging snel naar de buurman om het kleed te halen, en toen het uitgerold was, waren we klaar. Moe maar tevreden keken we naar het resultaat. We hoefden alleen nog even het kleed te zuigen. Ik liep het hele huis door, maar kon geen stofzuiger vinden.

'Dan maar niet,' zei Job. 'Ik ga douchen en daarna naar de stad om nog wat te drinken.' Hij liep naar boven. Kelly ging naar huis. Ik liet me op de bank neerploffen.

Mijn maag begon alweer te knorren. Om het hongergevoel te onderdrukken probeerde ik me te concentreren op de woonkamer. Ik keek de kamer rond om het resultaat in me op te nemen. De stopcontacten waren het leukst. Die waren zwart en kleurden mooi bij het kleed van de buurman.

Het gerinkel van de telefoon haalde me uit mijn gedachten. Ik nam de hoorn van de haak. 'Hallo?'

'Ja, met mij,' hoorde ik iemand aan de andere kant van

de lijn zeggen. Het was Mike. Mijn hart begon harder te kloppen. Ik probeerde rustig te blijven.

'Hoe is het?' vroeg hij.

'Goed, hoor!' antwoordde ik overdreven vrolijk.

'Waar is Job?'

'Hij is gaan stappen. Je loopt hem net mis, hij is tien minuten geleden vertrokken.'

'Komt hij vannacht nog terug?'

'Weet ik niet, ik denk het wel.'

'Nou, meisje, dan sta je er alleen voor vannacht.'

'Hoezo? Wat is er dan?' vroeg ik.

'Ik heb gehoord dat jullie mijn woonkamer hebben opgeknapt en nu zijn ze van plan om vannacht mijn bank te jatten. Aangezien Job niet thuis is, zul jij het moeten voorkomen.'

O jee. 'Hoe dan?' vroeg ik met een klein stemmetje.

'O, mijn minuten zijn zo op,' zei Mike. 'Ga maar op de bank slapen. Jou doen ze niks als ze je zien liggen. En trouwens, hou je nog van me?'

Ineens werd de verbinding verbroken. Ik hoorde alleen nog een pieptoon. Gelukkig, dacht ik terwijl ik de hoorn neerlegde, daar hoef ik geen antwoord op te geven.

Ik stond op om een glas water te gaan drinken in de keuken, in de hoop dat dat mijn honger zou stillen, toen ik vanuit het zijraam een auto naast het huis zag stoppen. Voorzichtig liep ik naar het raam en keek naar buiten. Het was een politieauto! Vanuit de auto scheen iemand met een zaklamp naar binnen. Voor ik me kon verroeren, werd ik verblind door het licht. Ik stond vol in hun zicht. Geschrokken trok ik me terug en ik wachtte naast het raam wat er ging gebeuren.

Ik hoefde niet lang te wachten, want ineens stonden er twee agenten in de tuin. Ze probeerden het huis binnen te komen. Ik liep op ze af, opende de schuifpui en stapte de tuin in. Ik durfde ze niet binnen te laten. Als iemand zag dat ik politie in huis haalde, zou Mike dat meteen te horen krijgen.

'Hallo,' zei ik. 'Is er iets aan de hand?'

'Nee hoor, niets speciaals,' antwoordde een van hen. 'We houden de boel een beetje in de gaten hier. We hebben vernomen dat je alleen thuis bent nu je vriend in de gevangenis zit. Je moeder heeft gevraagd of we een oogje in het zeil willen houden.'

'Mijn moeder?' vroeg ik verbaasd.

'Ja, is dat zo raar?' vroeg hij. 'Je moeder staat voortdurend in contact met de politie. We hebben aangeboden om je hier weg te halen, maar ze weet niet precies waar je terecht kan en dat is ze nu samen met de kinderbescherming aan het uitzoeken. Zolang ze dat nog niet hebben uitgezocht, houden wij een oogje in het zeil.'

Ik was verbijsterd. Mijn moeder had gezegd dat ze haar handen van me af trok als ik bij Mike bleef. Desondanks wilde ze me nu blijkbaar wel helpen en een veilige plek voor me regelen. Juist nu ik bij Mike moest blijven voor háár veiligheid! Door Mikes dreigement dat hij mijn moeder iets zou aandoen, kon ik de kans die zij me wilde bieden niet grijpen. Hoe moest dit ooit goed komen? Toch was het, ondanks alles, een fijn gevoel om te weten dat mijn moeder me niet was vergeten.

'Alles verder goed hier?' vroeg de agent.

'Ja, eigenlijk geen bijzonderheden. Alleen belde Mike net om te vertellen dat ze zijn bank willen jatten en dat ik maar op de bank moet gaan slapen om hem te bewaken.'

'Nou, meisje, dat hoeft helemaal niet. Ga jij maar lekker in je bed liggen. Wij rijden nog wel een paar keer langs om te kijken of er iets gebeurt.'

Ik bedankte ze en was blij dat ik niet op de bank hoefde te slapen. Een goed gevoel kwam over me. Eindelijk wist ik dat ik er niet alleen voor stond.

De regen tikte tegen het raam en wekte me uit mijn slaap. Ik deed mijn ogen open en rekte me eens flink uit. Wat had ik heerlijk geslapen! Dat het buiten regende maakte me niks uit, ik voelde me lekker en durfde weer wat hoop te koesteren.

Ik staarde een tijdje naar buiten en keek toe hoe de druppels op het raam neerkwamen en langzaam naar beneden gleden. De telefoon ging. Ik sprong uit bed en rende zonder me aan te kleden de trap af. Ik nam op en hoorde dat het Barbara was. Op de een of andere manier had ik een voorgevoel dat het niet leuk zou zijn wat ze me ging vertellen.

'Mike heeft net gebeld,' zei ze. 'Hij verwacht dat we morgen met de oudste op bezoek komen. Ik moet ervoor zorgen dat jij ook meegaat. Ik kom vanavond even langs voordat ik moet werken om een paar dingen met je af te spreken.'

Mijn hart bonsde in mijn keel. 'Dat is goed,' zei ik. 'Ik zie je vanavond wel.' Ik hing op en liep een beetje verdoofd naar boven om me te wassen en aan te kleden.

In de gang kwam ik Job tegen. 'Goedemorgen!' zei Job vrolijk.

'Goedemorgen,' antwoordde ik.

'Mike heeft gevraagd of ik ervoor wil zorgen dat jij morgen op de trein stapt met Barbara,' zei hij. 'Maar dat doe je wel, hè? Ik hoef dat toch zeker niet te controleren?'

Ik lachte een beetje en zei: 'Natuurlijk ga ik naar hem toe. Denken jullie nou echt dat ik hem niet wil zien? Ik mis hem hartstikke.'

'Dat dacht ik al,' zei Job, 'maar je kent Mike, hij is als de dood dat je ervandoor gaat. Als hij je nu zou zien zoals je hier voor me staat, hoeft hij zich daar echt niet druk om te maken.' Job liep naar buiten en ik slenterde achter hem aan.

'Tot vanavond,' zei ik en ik was blij dat hij niet doorhad dat ik alles bij elkaar aan het liegen was. Ik miste Mike voor geen cent.

Die ochtend besloot ik lekker op de bank door te brengen voor de televisie. Ik vulde mijn maag met koffie en gaf het laatste stuk brood aan de hond.

's Middags kwam Kelly langs. 'Heb je brood bij je?' vroeg ik gretig.

'Shit, vergeten.' Ze keek schuldbewust.

Ik probeerde mijn teleurstelling voor haar te verbergen. 'Ik heb een idee,' zei ik. 'Weet je nog dat ik je vertelde over die verzorgpony die ik had in een dorpje hier verderop? Als we daar nou eens naartoe gaan. We kunnen hem voor het karretje spannen en er een stukje mee gaan rijden, dan hebben we wat leuks te doen. Lijkt dat je wat?'

'Ja, gaaf!' riep Kelly.

Nog geen vijf minuten later zaten we op de fiets.

Na twintig minuten fietsen kwamen we in het dorpje waar we moesten zijn. We liepen de grote loods in waar het stalletje van de pony was ondergebracht. Hij begroette ons door een beetje binnensmonds te hinniken. Terwijl we de pony aan het poetsen waren, kwam de eigenaar binnen.

'Goedemiddag, dames,' zei hij. 'Gaan jullie een stukje met hem rijden?'

'Ja, als het mag van jou,' antwoordde ik.

'Tuurlijk, dat is voor hem ook goed. Hoe laat zijn jullie terug? Ik moet vanavond weer aan het werk en voor die tijd moet ik de boel hier afsluiten.'

'Eh,' stamelde ik, 'dat weet ik niet. Maar we hebben een stukje land waar hij vannacht kan staan, als je dat goedvindt. Dan brengen we hem morgenmiddag wel weer terug.' Ik hoorde mezelf praten en was verbaasd over wat ik zei. Ik had helemaal geen stukje grond waar ik die pony kwijt kon. Ik durfde Kelly niet aan te kijken, bang dat ze me zou verraden.

'Nou, het lijkt me een goed idee,' zei de eigenaar. 'Dat is dan afgesproken. Ik weet zeker dat hij het hartstikke leuk zal vinden en hij is in goede handen.' De eigenaar liep weg en zonder iets tegen elkaar te zeggen, spanden we de pony in en reden we naar huis.

Halverwege de rit vroeg Kelly: 'Waar laat je die pony in godsnaam?'

Ik begon te lachen en bleef recht voor me uit kijken.

'Dat kun je niet menen!' riep Kelly toen tot haar doordrong wat ik van plan was. 'Mike wordt gek als hij dat hoort.'

Ik draaide me naar haar toe en zei fel: 'Ik hoop het. En ik hoop dat ze hem dan maar gauw opnemen in het gesticht, zodat ik vrij ben.'

Kelly keek me geschrokken aan. 'Hou je niet meer van hem?'

'Jawel,' loog ik. Ik wist dat ik ook tegen haar niet de waarheid kon zeggen. Ik kon er niet op vertrouwen dat ze me niet zou verraden tegenover Mike of zich misschien zou verspreken. Dan zou mijn moeder in gevaar komen en dat mocht in geen geval gebeuren.

'Mike zit vast en wij zitten hier en gaan een hoop lol maken, dus zet je zorgen maar aan de kant en laat je gaan,' stelde ik haar gerust. Zingend in de regen gingen we op weg.

Na een uurtje hobbelen kwamen we thuis aan. Kelly gaf de pony wat gras terwijl ik een provisorisch stalletje bouwde in de tuin. Toen dat gelukt was, spanden we hem uit en zetten hem in het stalletje. We gingen naar binnen om ons af te drogen. Daarna ploften we op de bank en keken een tijdje naar buiten, naar de pony, die zijn nieuwe huisvesting vol bewondering stond te bekijken.

'Ik kom vanavond weer terug,' zei Kelly rond een uur of zes. 'Ik moet nu naar huis om te gaan eten, ik zie je straks.'

'Oké, tot dan.'

Een uur nadat Kelly naar huis was gegaan, kwam Barbara binnen. We dronken samen koffie. Meer kon ik haar niet aanbieden.

'Morgen ben ik om half acht hier,' zei ze. 'We moeten de trein van acht uur hebben en zijn daar dan tegen half elf. Ik betaal je kaartje voor de trein en neem wat te eten mee voor onderweg. Is dat goed?'

'Ja, prima.'

'Red je je wel tegenover Mike?' vroeg ze ineens met een doordringende blik.

Ik probeerde mijn gezicht te verbergen en vroeg ontwijkend: 'Wil je nog een bakkie?' Ik pakte haar kopje en liep naar de keuken.

Barbara liep achter me aan. Ze leunde tegen het aanrecht. 'Je hoeft geen antwoord te geven. Ik weet al genoeg. Ik kan je helaas niet helpen, je moet het helemaal alleen doen. Zorg dat hij een hekel aan je krijgt, dan kun je bij hem weg, dan laat hij je gaan. Jij bent de enige die dat kan. Ik kan alleen proberen je te beschermen door mijn huis voor je open te stellen als hij je weer te pakken heeft gehad. Maar neem maar van mij aan dat hij heel ver zal gaan om je bij zich te houden. Laat hem morgen niets merken. Doe of je hem vreselijk mist, want als hij merkt dat er ergens iets niet klopt, wordt hij link. Zeker nu hij gevangenzit.'

Het gesprek werd onderbroken doordat Kelly en Erik binnenkwamen. We liepen terug naar de woonkamer en ploften weer op de bank.

'Het is hier mooi opgeknapt,' zei Erik. 'Leuk idee ook, die pony in de tuin.'

Ik lachte. 'Ja, hè?' Ik liep de tuin in om te kijken of alles goed ging met de pony. Ik aaide hem over zijn flank en dacht aan het gesprek met Barbara. Ik moest dus in geen geval iets aan Mike laten blijken, kost wat kost. Misschien was Barbara wel de enige persoon die ik kon vertrouwen...

De pony was het gras in de tuin lekker aan het oppeuzelen. Mijn buik deed vreselijk pijn. Ik liep de keuken in om te kijken of er misschien toch nog iets eetbaars te vinden was wat ik nog niet had ontdekt. In een keukenkastje vond ik een bus macaroni. Nu nog iets erdoorheen, dacht ik. In de vriezer lag een zakje vlees. Ik pakte het eruit. Ik kon niet zien wat het was en liep ermee naar de woonkamer. 'Weet jij wat dit is?' vroeg ik aan Barbara terwijl ik het haar gaf.

Ze pakte het zakje aan en zei met een vies gezicht: 'Dat is hondenvoer.'

Teleurgesteld nam ik het zakje weer van haar over en liep terug naar de keuken. Ik wilde het net terugleggen toen Barbara vanuit de woonkamer riep: 'Zitten er witte spikkels op?'

Ik keek naar het vlees. 'Nee!'

'O, dan is het geen hondenvoer, maar gewoon vlees.'

Mooi, dacht ik, dan eet ik dat op, met een beetje ketchup.

'Zal ik het voor je klaarmaken?' hoorde ik vlak achter me. Barbara was achter me aan gelopen.

'Ja, graag.' Barbara zette een pan op het vuur en begon intussen het vlees te kruiden. Ik liep naar de woonkamer en ging op de bank zitten wachten. Al snel dreef de geur van gebakken vlees de woonkamer in.

Erik snoof. 'Ga je macaroni eten? Mag ik ook een beetje?'

'Nou, liever niet,' zei ik. 'Jij kunt thuis eten. Het is misschien nog geen half bord vol. Vind je het heel vervelend?'

'Nee, je hebt gelijk, maar het ruikt zo lekker,' zei hij. Dat vond ik ook.

'Het is klaar!' hoorde ik Barbara in de keuken roepen. Ik sprong op en liep ernaartoe om op te scheppen. Ik gooide flink wat ketchup over de macaroni en al etend liep ik weer de woonkamer in.

Erik keek me met grote ogen aan, stond op en rende naar de schuifpui. Hij struikelde de tuin in en gaf over op het gras. Ik bleef beteuterd staan. Eerst wilde hij eten en nu ging hij over zijn nek! Kelly en Barbara begonnen heel hard te lachen. Ik draaide me om en wilde weer een hap nemen toen ik ineens doorhad dat het om mijn eten ging; het was wel hondenvoer. Ik liet me niet kennen. Het smaakte best goed. Een beetje flauw, maar het was net een soort gehakt. Demonstratief ging ik naast ze op de bank zitten. Ik bleef gewoon dooreten.

Barbara keek me onderzoekend aan. 'Hoe lang heb jij niet gegeten?'

'Al bijna een week niet, op de boterhammen van jullie na.'

'Maar sinds Mike vastzit heb je maar drie keer boterhammen van ons gekregen!' zei Barbara geschrokken.

'Ik weet het,' zei ik met mijn mond vol, 'en daarom geef ik niks om wat ik nu zit te eten. Het is altijd beter dan die pijn in mijn buik.'

Ze zwegen allemaal. De goede stemming was duidelijk weg.

Toen ze alle drie naar huis waren, ging ik naar bed. Voor het eerst ging ik zonder buikpijn slapen en dat beviel me goed. Of het nou door hondenvoer kwam of niet.

De volgende ochtend stond ik op met een zenuwachtig gevoel in mijn maag. Vandaag zou ik Mike voor het eerst in drie weken weer zien. Ik hoopte dat het allemaal zou meevallen. Ik maakte me zo mooi mogelijk op.

Als hij maar blij is om me te zien, dan zal het allemaal wel meevallen, stelde ik mezelf gerust. Wel raar trouwens dat Barbara alles moet regelen van Mike. Dat ze het nog doet ook, zeg. Ze is toch zijn ex? Misschien weet ze wel hoe hij is. Of doet ze het voor mij?

Om half acht was Barbara er met de oudste en om acht uur precies zaten we in de trein. De reis verliep rustig. We zaten voornamelijk door het raampje naar buiten te kijken.

'Wanneer is Mike zich anders gaan gedragen?' vroeg Barbara ineens.

'Sinds hij me heeft weggehaald uit het internaat en ik geld ben gaan kosten. Hij had het zich denk ik anders voorgesteld. Hij dacht dat ik een uitkering zou krijgen, maar dat was niet zo. We kregen elke keer ruzie dat ik hem eraan herinnerde dat hij voor me zou zorgen. Hij gaf zijn geld aan drank uit en als hij genoeg gedronken had, werd hij gewelddadig!' Ik gooide het er allemaal in een keer uit.

'Zorg dat je weg bent voordat hij vrijkomt,' zei ze ineens heel dringend.

Ik schrok ervan.

Barbara zag mijn reactie en ging meteen verder. 'Ik kan niet alles zeggen, maar door geldgebrek in ons huwelijk ben ik door Mike achter het raam gezet!'

'Wat wil je daarmee zeggen?'

'Een en een is twee,' antwoordde ze fel en ze wendde haar blik af. Ze keek weer door het raam naar buiten. Het gesprek was voor haar duidelijk afgelopen. Maar ik kon het allemaal niet bevatten. Wilde ze me duidelijk maken dat ik zo snel mogelijk weg moest, omdat ik anders ook achter het raam zou belanden? Dat kon toch niet? Dat zou Mike me nooit aandoen. Hij was hartstikke bezorgd geweest toen Ron ons had meegenomen. Nee, Mike was tot van alles in staat, maar dat niet.

De rest van de rit spraken we niet meer met elkaar. Voor ik het wist waren we bij de gevangenis. We liepen onder dezelfde poort door als waar ik afscheid had genomen van Mike en waar hij me nog eens duidelijk had gemaakt wat me te wachten stond als ik hem verliet.

We gingen naar binnen langs zwaarbewaakte deuren. Daarachter was een soort aula waar allemaal tafels stonden met stoelen eromheen. Ik keek de ruimte door en zag dat Mike met een krant aan een tafeltje zat. Mijn hart begon harder te kloppen.

Barbara duwde me in zijn richting en fluisterde: 'Denk eraan, laat hem niets merken!'

Toen we zijn tafeltje naderden, keek Mike op van zijn krant. Je kon duidelijk aan zijn gezicht zien dat hij blij was om ons te zien. Hij leek weer op de oude Mike. Dat stelde me wel gerust, zo kon ik makkelijker toneelspelen.

Met een grote glimlach kwam hij op me af, pakte me stevig vast en kuste me vol op de mond. 'Wat heb ik jou gemist,' zei hij terwijl hij me bijna plat duwde in zijn armen.

'Ik jou ook,' fluisterde ik terug, en ik moest toegeven dat ik deze Mike zeker had gemist, heel erg zelfs.

Het bezoek was best gezellig. Na een uurtje namen we afscheid van Mike en gingen we weer naar huis.

In de trein terug vroeg Barbara hoe lang hij moest zitten.

'Ik zou het niet weten. Hij deed er heel vaag over. Hij wilde er niks over zeggen, want dat was beter voor mij.'

'Beter voor hem, zul je bedoelen,' zei ze fel. 'Snap je het nou nog niet? Hij heeft grip op je. Job houdt je in de gaten. Je kunt niet vluchten voor Mike omdat je niet weet wanneer hij terugkomt. Het kan morgen zijn, maar het kan ook nog een jaar duren.'

Ze had gelijk. Als ik thuiskom zal ik maar gauw aan de slag gaan, bedacht ik. Maar hoe?

Halverwege de middag kwam ik thuis. We hadden onderweg nog ergens gegeten. Daarna was Barbara meteen naar huis gegaan.

Toen ik het huis binnenstapte, zaten Job en Kelly daar samen op me te wachten.

'En, hoe was het?' vroeg Job.

'Goed,' zei ik terwijl ik op de bank neerstreek. 'Alleen de reis duurde erg lang, maar ja. We hebben elkaar mooi even een uurtje kunnen zien, en dat is wat telt.' Ik besefte dat ik met een heel goed gevoel bij Mike vandaan was gegaan, maar dat Barbara me in de trein weer met beide voeten stevig op de grond had gezet.

Mijn gedachten werden onderbroken doordat iemand de schuifpui opende. Het was een jongen met een pet op en een hondje bij zich. Job en hij begroetten elkaar. Kennelijk was de jongen een vriend van hem.

Kelly en ik keken verbaasd naar het hondje. Het liep heel raar, een beetje wankel op zijn pootjes. De vriend ging op de bank zitten en zette iets op tafel dat met zilverpapier was afgedekt. Terwijl hij het zilverpapier eraf haalde zei hij: 'Ik heb wat lekkers meegenomen.'

Het was een cake. Hij haalde er een stukje vanaf en gaf het aan de hond.

'Willen jullie ook?' vroeg hij. Hij keek niet op, maar bleef verscholen onder zijn pet.

'Nou, dat lusten we wel,' antwoordden we in koor.

De jongen sneed een groot stuk cake af voor iedereen en we peuzelden het lekker op. Terwijl Job en zijn vriend aan het praten waren, fluisterden Kelly en ik tegen elkaar dat de cake een vreemde smaak had. Maar ja, we hadden hem nu al bijna op.

Zonder aanleiding kwam Kelly ineens overeind en liep door de schuifpui naar buiten, op de pony af. Ze haalde hem uit zijn stalletje en ging op zijn rug zitten. 'Doe de voordeur eens open!' riep ze.

Ik liep naar de gang en zette de deur open. Toen ik de woonkamer weer in liep, zag ik Kelly met pony en al naar binnen komen, door de woonkamer naar de hal lopen en de voordeur weer uit. Ze liepen een rondje om het huis en begonnen weer van voren af aan. Ik vond het geweldig en liep met ze mee. Onderweg ruilden we, zodat we om beurten op de pony zaten.

'Weet je waarom dat hondje zo raar doet?' vroeg Kelly ineens.

'Ik zou het niet weten.'

'Je hebt toch gezien dat hij een stukje cake kreeg? Ik denk dat het spacecake is.'

'Wat is dat?'

'Dat is cake met hasj!'

'Vandaar dat het zo raar smaakte,' vulde ik haar aan. 'En vandaar dat wij ook niet helemaal normaal doen op dit moment.'

'Nee,' zei Kelly en ze begon te lachen. Ik lachte hard met haar mee en voor we het wisten waren we zo stoned dat we alleen nog maar konden lachen.

Job en zijn vriend gingen naar de stad om te gaan stappen. Toen Kelly en ik waren uitgelachen, brachten we de pony terug naar zijn baas. Daarna ging Kelly meteen door naar huis.

's Avonds hing ik in mijn eentje op de bank voor de televisie. Vanaf een uur of tien kwam er geregeld een politieauto door de straat rijden. Ze hielden zich dus aan hun afspraak.

De volgende morgen schrok ik om acht uur wakker. Shit, dacht ik, de kinderbescherming komt zo. Ik schoot mijn kleren aan en ging gauw naar beneden. Ik ruimde de boel een beetje op, zodat het er enigszins toonbaar uitzag.

Precies om half tien werd er aangebeld. Ik deed de deur open en zag een magere vrouw met een spits gezicht, lange haren en een bril op de stoep staan. In haar hand hield ze een koffertje. Ze stak haar andere hand uit naar mij.

'Hallo, jij moet Merel zijn. Ik ben mevrouw Hoefd, van de kinderbescherming.'

Ik schudde haar hand. 'Kom binnen.'

Ze ging op de bank zitten en haalde een stapel papieren uit haar tas, die ze op tafel legde. Nieuwsgierig keek ik naar wat ze aan het doen was. Ze pakte de papieren op en klopte ermee op tafel om er een net stapeltje van te maken. 'Is je vriend ook thuis?' vroeg ze.

'Nee, die zit in de gevangenis.'

'Al lang?'

'Een week of drie nu, en ik zou niet weten hoe lang hij nog moet zitten.'

Ze pakte een blaadje uit de stapel en begon er allemaal kleine krabbels op te zetten. 'Ik zal even uitleggen wat ik kom doen vandaag,' zei ze. 'We zijn ingeschakeld door je moeder. Ik kom met jou praten over hoe jij de situatie vindt. Je bent minderjarig en officieel moet je een voogd hebben. Aangezien je niet thuis woont of op het internaat, zal er een beslissing moeten worden genomen over jouw toekomst. Ik wil even heel duidelijk zijn: hier kun je niet blijven. We hebben bij verschillende instanties geïnformeerd naar je vriend en zijn erachter gekomen dat hij een bekende van ons is. Ook zijn kinderen staan onder toezicht van een kinderrechter.'

'Hoezo, ook onder toezicht?' vroeg ik verward.

'Je moeder heeft het ouderschap overgedragen aan ons. Dat wil zeggen dat je onder toezicht komt te staan van een kinderrechter,' legde ze uit. 'De kinderrechter bepaalt naar aanleiding van het advies van een toeziend voogd wat het beste is voor jou. Uiteraard luistert hij ook naar jouw verhaal. Maar hij neemt de beslissing en daar is niets tegen in te brengen. Wij zijn tot deze beslissing gekomen om jou uit deze zeer gevaarlijke situatie te halen. Eigenlijk kom ik vragen of je vrijwillig mee wilt werken, of dat we je moeten dwingen.'

'Wat houdt dat laatste in?'

'Dat houdt in dat als we een oplossing hebben gevonden voor jouw verblijf, je door de politie hier wordt weggehaald.'

Ik wist niet wat ik moest zeggen en staarde naar mijn voeten. Ineens kwamen de tranen opzetten en kon ik niet meer stoppen met huilen. Mevrouw Hoefd bleef heel rustig en vroeg vriendelijk: 'Zal ik een glaasje water voor je halen?'

Ik knikte.

Ze liep naar de keuken en kwam terug met een glas water. Ze ging naast me zitten en gaf me het glas aan. 'Wanneer heb jij voor het laatst iets gegeten? Er staat niets in de kast.'

'Gisteren,' zei ik. 'Barbara, Mikes ex, heeft me getrakteerd nadat we bij Mike op bezoek waren geweest. Ze is erachter gekomen dat hij me zonder een cent heeft achtergelaten.'

'Mike heeft ons om een financiële ondersteuning gevraagd, maar dat hebben we geweigerd,' vertelde ze. 'En zeg eens, waarom die tranen?'

'Ik kan niet alles vertellen,' zei ik, 'maar ik kan niet vrijwillig bij hem weg. Alstublieft, haal me hier weg. Het maakt me niet uit hoe, als hij maar niet denkt dat ik het zelf wil.'

Even was het stil. 'Dat is goed, meisje. Daar zorg ik voor,' stelde ze me gerust. 'We weten hoe gevaarlijk hij is. Wij zijn er voor jouw veiligheid.'

Dat was een hele opluchting.

Mevrouw Hoefd begon allerlei notities te maken op het blad op haar schoot. Ik werd afgeleid door het feit dat ze steeds op haar onderbeen zat te krabben. Tot mijn schrik zag ik dat er allemaal vlooien op haar been zaten. Shit, dacht ik, die komen natuurlijk uit dat kleed van de buurman! Dat hadden we niet uitgezogen. Nu waren al die eitjes uitgekomen. Ik durfde haar niet aan te kijken.

Nadat ze aantekeningen had gemaakt sloeg ze het blad dicht. Ze stopte de papieren in haar tas en stond op. 'Goed, ik heb alles genoteerd. Ik ga overleggen met de instanties en we zullen het je wel laten horen.'

Geschrokken keek ik haar aan. 'Hoe wil je het me eigenlijk laten weten? Als Mike erachter komt dat dit verhaal een vervolg krijgt, dan is mijn leven, en niet alleen mijn eigen leven, niet meer veilig.'

Met gefronste wenkbrauwen staarde ze naar de grond. 'Zal ik het via je moeder laten weten?'

'Ja, dat lijkt me een goede oplossing.'

'Dan moet je wel beloven dat je geregeld, zeker een keer in de week, naar haar toe gaat.'

'Goed, dat doe ik.' Met die woorden namen we afscheid.

Ik had de deur nog niet achter haar dichtgedaan of ik hoorde iemand binnenkomen door de schuifpui. In de woonkamer stond Kelly met een stofzuiger in haar hand. Ik begon te lachen. Ik wist precies wat ze kwam doen.

'Ja, lach jij maar, mijn benen liggen helemaal open van die rotvlooien hier.'

'Ach, als je denkt dat het zin heeft, mag je van mij stofzuigen,' zei ik terwijl ik op de bank plofte. 'De mevrouw van de kinderbescherming was hier net, en die zat haar benen helemaal open te krabben. Ik hoop dat ze het niet heeft gezien! Maar ik denk dat ze ook niet aan mij wilde laten merken dat ze last had van die vlooien.'

Kelly begon toch maar de kamer te zuigen. Ik was allang blij dat ze niks vroeg over het gesprek met de kinderbescherming.

Ik kon nu niemand meer vertrouwen. Mijn kans om hier weg te komen, hing van de kinderbescherming af. Die kans mocht ik niet verknallen. Dus nam ik mij voor om heel goed toneel te gaan spelen.

Die avond in bed lag ik lange tijd wakker. Het enige wat

ik kon denken, was dat ik hoopte dat ik dit leven heel snel achter me zou kunnen laten. Dit leven dat me eerst zo geweldig had geleken.

De volgende morgen ging Job al vroeg naar de stad. Het was heerlijk weer buiten, dus ik besloot de hond eens een uitgebreide borstelbeurt te geven. We zaten in het zonnetje op de grond in de tuin. Ik genoot van de warme zon op mijn rug en van het plezier van de hond, die zichtbaar blij was dat hij geborsteld werd. Even was het alsof ik geen zorgen had, alsof de hond en ik met z'n tweeën alleen op de wereld waren.

Ik had hoop gekregen dat ik ooit bij Mike weg zou kunnen. Aan de andere kant werd ik overspoeld door verdriet bij het idee dat ik hem moest verlaten. Natuurlijk was ik verdrietig. Ik miste de oude Mike, de lieve Mike. Waarom had die Mike plaats moeten maken voor de nieuwe Mike? Eindelijk was ik iemand tegengekomen die me een goed gevoel gaf over mezelf en die het leuk vond om mij om zich heen te hebben. Die om mijn grapjes lachte. Die me begreep. Maar belangrijker nog: iemand die om me gaf. Die persoon was veranderd in iemand die bezitterig was en gewelddadig. Iemand die door drank zichzelf niet meer kon zijn.

Ik hield even op met het borstelen van de hond en ging in de keuken wat water drinken. Bij het aanrecht werd ik overvallen door een huilbui. Ik vermande me en zei streng tegen mezelf dat Mike mijn tranen niet meer waard was. In gedachten verzonken liep ik de keuken uit en de woonkamer in. Ineens drong het tot me door dat er iets niet klopte Verbaasd keek ik naar de plek in de tuin waar de hond zou moeten liggen. De plek was leeg. Ik liep naar buiten en keek of ik hem ergens zag.

Toen zag ik de hond. Ik bleef als aan de grond genageld staan. Hij stond vrolijk kwispelend tegen Mike aan geleund. Die begroette hem uitbundig en klopte hem op de borst. Mike was dus terug. Een vrij man. Zoals te verwachten viel had hij van tevoren geen bericht gestuurd.

Mike had mijn aanwezigheid opgemerkt. 'Hoi!' zei hij.

Ik probeerde een glimlach tevoorschijn te toveren. Blijkbaar lukte dat niet echt, want Mike liet de hond los en kwam met grote stappen op me af. Met beide handen pakte hij mijn hoofd vast, en dwong me hem aan te kijken. 'Hé, wat is dat nou?' vroeg hij zachtjes. 'Heb je gehuild?'

Ik knikte.

'Omdat je me mist en blij bent om me te zien?' vroeg Mike ondeugend.

Ik vond het beter om hem in die waan te laten. Ik knikte weer.

'Dus je bent blij dat ik thuis ben?' Hij tilde me op en drukte me stevig tegen zich aan. Er stroomde een warm gevoel door me heen. Ik betrapte mezelf erop dat ik de knuffels en de warmte van Mike had gemist. Weer begon ik te huilen.

'Sst, stil maar,' suste Mike. 'Ik ben nu thuis, alles is voorbij.'

Was alles maar voorbij, dacht ik. Alles moest nog beginnen. Mijn reis naar de vrijheid was begonnen toen de kinderbescherming was geweest. Alleen mocht Mike er niks van weten.

Ik maakte me los uit zijn armen en ging samen met hem naar binnen. Mike ging op de bank zitten, trok zijn schoenen uit en ging languit liggen. Verdoofd van de onverwachte thuiskomst, stond ik hem maar een beetje van een afstandje te bekijken.

'Ik heb drie weken vakantie gehad,' zei Mike terwijl hij heen en weer wurmde om lekker te gaan liggen, 'maar ik ben me toch moe! Wat denk je ervan, Merel? Zullen we lekker even samen op de bank gaan luieren?'

Ik liep op hem af, trok mijn schoenen uit en ging naast hem liggen. Lepeltje lepeltje lagen we tegen elkaar aan. Mike sloeg zijn armen stevig om me heen. Ik staarde naar buiten. Gelukkig hoefde ik hem niet aan te kijken. Een van Mikes handen verdween onder mijn T-shirt, en speelde met mijn borsten. Mijn adem stokte in mijn keel.

'Ik heb je zo gemist,' zei Mike met zwoele stem. 'Ik ben te moe om met je te vrijen, maar je warme lichaam tegen mij aan is al bevredigend genoeg op dit moment.'

Ik ontspande bij de gedachte dat ik niet met hem hoefde te vrijen. Eigenlijk lag het best lekker zo op de bank. Blijkbaar vond Mike dat ook, want achter mij lag hij al zachtjes te snurken.

's Avonds kwam Job thuis met een krat bier. Met zijn drieën dronken we de nodige biertjes. Na twee biertjes was ik al superdronken. Al snel ging ik naar boven om te gaan slapen. Hoe lang Job en Mike nog verder zouden drinken, wist ik niet, en het maakte me ook niks uit. Ik was allang blij dat Job er was en ik niet alleen met Mike hoefde te zijn.

Langzaam opende ik mijn ogen en kwam overeind. Naast mij in bed lag Mike nog te slapen. Voorzichtig deed ik de dekens omhoog om uit bed te stappen. Zachtjes liep ik naar beneden. Ik wist dat Mike het niet fijn vond om wakker gemaakt te worden, maar ik had het geluk dat hij gisteren flink had gedronken en niet zo makkelijk wakker te krijgen was. Met een duf hoofd liep ik naar de telefoon, die al een tijdje rinkelde. Ik merkte dat ik moeite had om mijn ogen open te houden. Met slaperige stem nam ik op. 'Hallo?'

'Hai, met Paula,' hoorde ik. 'Hoe is het?'

'O, gaat wel,' zei ik gapend. 'Ik denk dat ik gisteren iets te veel heb gedronken. Ik kan niet echt wakker worden. Hoe laat is het eigenlijk?'

'Het is vijf voor tien,' zei Paula. 'Hé, luister, ik heb eigenlijk een vraag voor je. Kun je vanmiddag even oppassen?'

'Eh, ja, ik denk het wel. Hoe laat ongeveer?'

'Om drie uur komt er iemand die een film wil opnemen, dus ik ben wel thuis, maar ik kan dan niet op de kinderen passen. Daarom heb ik jouw hulp nodig.'

'Zal ik dan om een uur of twee komen?' vroeg ik.

'Ja, dat is geweldig, dan kunnen we nog even samen wat drinken.'

Op dat moment begon mijn geheugen weer te werken. 'O, dat vergeet ik helemaal; vanmiddag komt Kelly. Kan ik haar dan meenemen?' vroeg ik haastig.

'Natuurlijk, dan passen jullie toch samen op,' zei Paula.

'Goed, dan zie ik je vanmiddag.' Ik legde de hoorn neer en slofte naar de keuken. Dorst, dacht ik, ik moet drinken. In de keuken vulde ik de koffiekan met water en de filter met koffie. Boven hoorde ik gestommel. Mike was dus ook wakker geworden.

Ik hoorde hem de trap af komen. Ik zette het koffieapparaat aan en liep naar de woonkamer. In de gang kwam ik Mike tegen, die duidelijk beter tegen alcohol kon dan ik. 'Goedemorgen,' zei hij en hij gaf me een kus. Ik wilde doorlopen, maar hij sloot zijn armen om me heen en hield me tegen. 'Niet goed geslapen?' vroeg hij.

'Jawel,' zei ik met een gemaakte glimlach, 'maar ik heb vreselijke dorst en een duf gevoel in mijn hoofd.'

'Je hebt een kater,' zei hij grijnzend. Hij pakte me bij mijn knieën, tilde me op en liep naar de woonkamer. Daar legde hij me op de bank en zei: 'Ik zal eens voor mijn meisje dat ik zo heb gemist gaan zorgen. Blijf maar lekker liggen. Ik haal wel koffie.'

Hmm, dacht ik, hier moet ik van genieten! Ik ging languit op de bank liggen. Mike kwam erbij zitten met twee mokken koffie. 'Wie belde er daarnet?' vroeg hij.

'Paula,' antwoordde ik. 'Ze vroeg of ik vanmiddag op haar kinderen wil passen.'

'Wat heb je tegen haar gezegd?'

'Dat dat goed is en dat ik daar rond een uur of twee zal zijn.'

Mike kwam overeind en keek met boze ogen naar me. Wat nou weer? dacht ik.

'Kun je dat niet eerst overleggen met mij?'

Even was het stil. 'Ik wilde gewoon vandaag met jou doorbrengen,' ging hij verder. 'Dat is toch niet zo raar? Ik heb je zo moeten missen toen ik vastzat. Ik wil de tijd graag inhalen en bewijzen dat ik echt heel veel van je hou.'

Op dat moment stopte er toeterend een auto naast het huis. Mike stond op en liep naar het raam. Het was een van zijn vrienden. Mike deed de schuifpui van het slot om hem binnen te laten. 'Koffie?' zei hij ter begroeting.

'Nee, man, je moet je gauw aankleden. Ik weet een gave wagen te staan, maar ik moet een beetje afdingen. Daar heb ik jou voor nodig. Ga je mee?' zei de jongen, die ik nog nooit had gezien.

'Oké,' zei Mike. 'Ik ga me aankleden. Merel, schenk jij even wat koffie voor hem in?' Hij ging naar boven.

'Blijf maar lekker zitten,' zei de vriend. 'Volgens mij zit het niet echt lekker daar in dat hoofdje van je, of wel?'

Ik moest lachen. 'Dat heb je snel door!

'Laten we het maar op herkenning houden,' zei hij met een knipoog.

Nog geen twee tellen later rende Mike de trap af met zijn jas half aan. Hij bukte om me een kus te geven. 'Ik kom je straks wel ophalen bij Paula, goed?'

Ik knikte. 'Doe maar rustig aan. Ik zie je wel verschijnen.'

'Kom op,' zei hij tegen zijn vriend. Ze reden samen weg. Ik zwaaide ze na door het raam en besloot lekker terug naar bed te gaan. Ik kon nog mooi een aantal uurtjes soezen voordat Kelly kwam.

Maar het lukte niet om in slaap te komen. Ik moest steeds aan Mike denken, aan hoe anders hij zich gedroeg sinds hij gisteren was teruggekomen uit de gevangenis. Hij was zo lief voor me. Het was net of de gevangenis zijn oude ik weer bij hem naar boven had gebracht. Hij was gewoon weer de Mike van wie ik hield. Ik zou bijna vergeten hoe hij me bedreigd had voor hij de gevangenis in ging. Misschien kwam alles toch nog goed. En was het toch een noodkreet van hem, om mij bij zich te houden. Misschien hoefde ik helemaal niet bang voor hem te zijn, en was dit echte liefde.

Om kwart voor twee waren we bij Paula. 'Willen jullie koffie?' vroeg ze terwijl ze zich optutte.

Ik keek Kelly aan. Ze knikte. 'Ik schenk wel in, blijf maar lekker doen waar je mee bezig bent, oké?' zei ik tegen Paula. Ze mompelde iets terug, dus ik nam aan dat ze ermee instemde.

Terwijl ik samen met Kelly koffiedronk en met de kinderen speelde, werd er aangebeld. Paula deed de deur open. Ze kwam samen met een lange man de woonkamer binnen. De man had een grote lamp in zijn ene hand en in de andere een heel grote tas. 'Wil je ook koffie?' vroeg Paula aan de man.

'Nee, dank je wel, ik heb niet zo veel tijd. Ik wil graag gauw beginnen als je dat goed vindt,' zei hij.

'Vooruit dan maar,' zei Paula en ze ging hem voor naar de trap. Over haar schouder riep ze nog: 'Jullie redden je wel, hè?'

'Ja, tuurlijk,' verzekerde ik haar.

De tijd vloog om en voor ik er erg in had was het vier uur. De kinderen hadden lekker zitten spelen en Kelly en ik hadden het over koetjes en kalfjes gehad. Zo was ik te weten gekomen dat Anne nu nieuwe vrienden had en weer volop bij de paarden zat. Ze moest eens weten wat er nu tussen mij en Mike speelde. Ik vond het wel grappig. Zij was verliefd geweest op Mike, maar ik was met hem verdergegaan, terwijl dat helemaal niet mijn bedoeling was. Ik merkte dat er een huppeltje in mijn buik kwam. Dat gevoel herkende ik van de tijd toen ik verliefd was geworden op Mike. Zou ik toch nog wat voor hem voelen?

Net toen ik naar de keuken liep om de kopjes weg te zetten, kwam Paula in haar ochtendjas naar beneden. Ze ging bij Kelly in de woonkamer zitten en wachtte tot ik terugkwam. Ik vroeg me af of ze me soms iets wilde vertellen.

'Zeg, meiden, ik heb eigenlijk een vraag voor jullie,' begon ze. 'Die man boven wilde weten of jullie soms ook interesse hebben om een proefopname te maken.'

Kelly en ik keken elkaar verbaasd aan. 'Wat voor proefopname is het?' vroeg ik aarzelend. 'Ik heb helemaal geen acteerervaring.'

'Dat hoeft ook niet,' zei Paula. 'Hier komt helemaal geen talent bij kijken.'

'Wat voor opnames zijn het dan?' drong Kelly aan.

'O, gewoon een probeersel voor softpornofilms,' zei Paula zonder blikken of blozen. Ik hapte naar adem. Dit kon ze niet menen! De beste vriendin van mijn moeder zat boven pornofilms te maken, terwijl haar kinderen beneden aan het spelen waren!

Kelly stond op en liep naar de deur van de trap. 'Ik vind het best. Wat moet ik doen?'

'O,' zei Paula terwijl ze haar achternaliep, 'dat vertel ik je boven wel. Jij niet, Merel? Weet je het zeker? Je krijgt er honderd piek voor, hoor.'

'Nee, bedankt. In nog geen honderd jaar,' antwoordde ik

beledigd. 'Dat jij het wilt doen moet je zelf weten, maar dat je ons hierin betrekt, vind ik niet tof van je.' Ik was echt teleurgesteld in Paula. Ik was intussen best wel wat gewend, maar van de beste vriendin van mijn moeder had ik zoiets niet verwacht. 'Ik pas wel op je kids, maar verder zoek je het zelf maar uit,' riep ik nog. 'O, en zeg tegen Kelly dat ze klaar moet zijn als Mike komt. Ik ga met hem mee naar huis, met of zonder haar.'

Paula sloot zonder nog iets te zeggen de deur en liep naar boven. Ik staarde naar de dichte deur en dacht na over wat zich hier allemaal afspeelde. Ik vond het te gek voor woorden dat ze had gevraagd of ik interesse had. Ik was verdorie vijftien, had voor het eerst een vriendje. En dan met zo'n voorstel komen.

Na een half uur ging de bel. Het was Mike. Ik liep naar de deur om hem binnen te laten. Terwijl hij voor me uit liep naar de woonkamer vroeg hij meteen: 'Wat is er aan de hand? Waar is Kelly? Is ze niet meegegaan?'

'Jawel,' zei ik terwijl ik op de bank ging zitten. Toen Mike naast me kwam zitten, stond ik weer op en vroeg of hij een biertje wilde. Ik liep in gedachten verzonken naar de keuken, verbolgen over wat ze me net allemaal geflikt hadden. Ik had niet eens door dat Mike me de keuken in gevolgd was.

'Wat is er aan de hand? Je bent er helemaal niet bij,' merkte hij op terwijl hij zijn armen om me heen sloeg.

'Ze zijn boven proefopnames aan het maken voor een pornofilm,' zei ik. 'Ze vroegen of Kelly en ik ook wilden meedoen, voor honderd piek. Nu is Kelly boven met Paula en ik zit hier te wachten tot ze klaar zijn.'

Op dat moment voelde ik dat Mike zijn armen strakker om mijn middel klemde. Zo strak, dat ik bijna geen lucht meer kreeg. Verbaasd keek ik op naar zijn gezicht. Zijn ogen schoten vuur en keken mij doordringend aan. Met een beheerste stem waar ik het helemaal koud van kreeg, vroeg Mike: 'Heb jij ook meegedaan?'

'Nee, natuurlijk niet! Waar zie je me voor aan,' zei ik. Ik probeerde uit zijn grip te komen, maar dat lukte niet. Mike pakte mijn kin vast en trok hem omhoog. Hij boog zijn hoofd naar het mijne en zei: 'Als hij je kop wel heeft gefilmd en hij verknipt het en zet het op een ander lijf, speel jij ook in een pornofilm zonder dat je dat wilt. Als dat zo is en ik kom erachter, sla ik je kop van je romp.' Hij liet me los.

Ik werd letterlijk en figuurlijk met beide benen op de grond gezet. Hoe kon ik ook maar een seconde hebben geloofd dat Mike veranderd was? Tegelijkertijd was ik toch gecharmeerd door de gedachte dat Mike zich echt zorgen maakte om mij. Dat gaf me weer een beschermd gevoel.

Mike liep door de woonkamer, opende de deur naar de trap en riep naar boven: 'Vuile hoer! Je denk toch zeker niet dat Merel hier ooit nog een stap over de drempel zet? Ik zou maar zorgen dat je je gedeisd houdt, anders kom ik terug om hier de boel te verbouwen!'

Hij draaide zich om, pakte een lamp van de tafel en gooide hem kapot tegen de spiegel die aan de muur hing. Ik stond vlak naast de spiegel en kon nog net wegspringen. Het had niet veel gescheeld of de lamp had me vol op mijn hoofd getroffen. Nu kon ik het niet meer droog houden. De tranen biggelden over mijn wangen. Mike liep op mij af en sloeg weer een arm om me heen. 'Je bent mijn vriendin, je hoort bij mij.' Daarna gingen we naar huis.

Thuis kroop ik in een hoekje van de bank. Ik was erg onder de indruk van wat zich die dag had afgespeeld.

'Zal ik lekker het bad laten vollopen?' stelde Mike voor.

Mmm, dat leek me wel wat. Mike liep naar boven.

De heerlijke geur van bloemen kwam naar beneden drijven. Nieuwsgierig ging ik naar boven om te kijken wat Mike aan het doen was. Ik opende de deur van de badkamer, en werd verwelkomd door een warme walm stoom. Ik snoof de heerlijke geur op en werd er helemaal blij van.

Mike kwam achter me staan. 'En? Vind je het wat?' vroeg hij schor.

'Hoe kom je aan dat heerlijke schuim?'

'Dat heb ik speciaal voor jou gekocht vandaag.' Langzaam begon hij me uit te kleden. Toen ik niets meer aanhad, gaf hij me een kus in mijn nek en draaide me om. Zijn ogen namen mijn naakte lichaam op. Heel zachtjes zei hij: 'Ik heb je gemist.'

Het was zo vertederend om hem zo te horen praten en op die manier naar me te zien kijken. Ik wist het nu zeker. Mike was veranderd. Hij was weer helemaal zichzelf geworden. Nu komt alles toch weer goed, hield ik mezelf voor.

Ik kuste zijn mond voorzichtig, maar werd vurig terug gekust. Ik kreeg vlinders in mijn buik. Het was zo'n geweldig gevoel. Wat had ik dit gemist.

Vrijend belandden we in het heerlijk ruikende warme water. We bleven in bad tot het water was afgekoeld. Daarna vielen we lekker ruikend en voldaan op bed in slaap. Het was een avond om nooit te vergeten.

Kelly en ik zouden die dag met Giel, een vriend van Mike, en nog een jongen naar de stad gaan. Mike had nog wat vage dingen te doen, dus hij ging niet mee. Rond een uur of elf gingen we lopend op weg. Na een kwartiertje wandelen en kletsen, liepen we een heel smal steegje in. Het was zo smal dat auto's de voetgangers maar net konden passeren, ook al was het een straat met eenrichtingsverkeer. Toen we halverwege waren, kwam er een auto tegen het verkeer in rijden. Giel gebaarde dat de auto moest stoppen en zei boos: 'Je mag hier niet rijden! Geloof mij maar, als de juten je zien, heb je een vette boete.'

Op dat moment gaf de bestuurder gas. Giel kon nog maar net wegspringen en belandde boven op de motorkap. Hij gaf een harde trap tegen de voorruit, die verbrijzelde.

Kelly pakte mijn arm en hield me stevig vast. Samen stonden we angstig toe te kijken hoe dit zou aflopen. De andere jongen die bij ons was, schreeuwde tegen de bestuurder dat hij moest stoppen. Op dat moment remde de auto heel hard, en Giel viel op de grond. We zagen dat de bestuurder wilde uitstappen, toen Giel naar ons schreeuwde dat we moesten wegrennen. Zonder erbij na te denken zetten Kelly en ik het op een lopen. In een straatje verderop zagen we een boekhandel. We wisten niet hoe snel we naar binnen moesten rennen. Buiten adem verstopten we ons op onze knieën achter een kaartenmolen. 'Waar is de rest gebleven?' vroeg Kelly zachtjes aan mij.

'Sst,' zei ik nog zachter. 'Kijk eens buiten.'

Daar liep die bestuurder wild met zijn armen te zwaaien. Naast hem liep een politieagent. Ze waren op zoek naar ons, terwijl wij eigenlijk niks fout hadden gedaan. Na een kwartiertje schuilen in de boekhandel, durfden we voorzichtig naar buiten te gaan. Op onze hoede liepen we terug naar de plek waar alles was gebeurd.

'Ik durf niet meer door die straat te lopen, jij wel?' vroeg Kelly.

'Nee, ik denk dat we dat maar beter niet kunnen doen. Maar wat gaan we eigenlijk wel doen? We zijn iedereen kwijt,' zei ik.

'Misschien kunnen we beter naar huis lopen, en daar wat verzinnen. Ik heb het nu wel weer gehad,' zei Kelly met een zucht.

'Goed idee.' Nog steeds waakzaam liepen we terug in de richting van Mikes huis. Toen we een beetje van de schrik waren bekomen en we de spoorwegovergang naderden waar we overheen moesten, zagen we bij een bloemenkraam de jongen staan die mee was geweest. Hij had ons ook opgemerkt en wenkte ons. We liepen op hem af en gingen naast hem op de stoeprand bij de bloemenkraam zitten.

'Weten jullie waar Giel is?' vroeg hij aan ons.

'Nee,' zei Kelly.

'Ik dacht dat hij nog bij jullie was.'

'Nee dus, maar we hebben die vent nog wel gezien, samen met een juut. Jij ook?' vroeg Kelly.

'Nee. Dan denk ik dat Giel al thuis is. Zullen wij ook maar gaan?'

'Ja, dat is misschien het beste,' zei ik terwijl ik opstond.

Ineens hoorden we een harde stem vanachter het bloemenkraampje: 'Daar! Daar, dat zijn ze!'

Ik keek op en zag de bestuurder van de auto met een politieman onze kant uit komen. Ze begonnen te rennen. We hadden geen schijn van kans om ons uit de voeten te maken. De politieman riep om assistentie. Er kwam meteen een politieauto aan. Er stapte een vrouwelijke agent uit die Kelly en mij hardhandig in de boeien sloeg. We werden met kracht achter in de auto geduwd.

De twee agenten namen voorin plaats en we reden weg. De mannelijke agent riep door zijn mobilofoon naar de meldkamer: 'We komen eraan met drie arrestanten.'

'Vier! Want ik tel voor twee!' riep de vriend van Giel.

De bestuurder trapte hard op de rem. De andere agent draaide zich om en gaf Kelly een duw. 'Jullie moeten je kop houden, anders gaan we het anders aanpakken!' schreeuwde hij naar ons.

Voor ik het wist flapte ik eruit: 'Je hebt zeker een hekel aan vrouwen, of niet? Zak!'

Kelly dook opzij en kon nog net de volgende duw ontwijken. Daarna zeiden we geen van allen nog iets. Het leek verstandiger om rustig af te wachten wat er verder zou gebeuren.

Op het bureau werd de vriend van Giel meteen in de cel gegooid. Kelly en ik mochten in een verhoorkamertje blijven. 'We moeten wel hetzelfde verhaal vertellen, anders komt het niet geloofwaardig over,' fluisterde ik tegen Kelly.

'Mag je hier roken, denk je?' vroeg ze.

'Ik zou het niet weten.'

'Ik steek er gewoon een op.' Ze voegde de daad bij het woord. Algauw stond het kamertje blauw van de rook. Toen ging er een rookmelder af. Er stormden twee agenten de kamer in en een van hen schreeuwde: 'Wie heeft in godsnaam die sigaret aangestoken?' We wisten zogenaamd natuurlijk van niets. Ik merkte dat ik het steeds leuker vond om die lui in de maling te nemen. Maar ik werd op slag rustiger toen ze Kelly meenamen voor verhoor.

Vijf minuten later hoorde ik ineens een hoop gegil op de gang. Voorzichtig liep ik naar de deur om te horen wat er aan de hand was. Het was Kelly, die vreselijk tekeerging. Ik was wel even onder de indruk, want ik had geen idee wat er gebeurde. Ik liep terug naar de tafel. Op dat moment werd de deur geopend. Ik draaide me om en zag dat de vriend van Giel binnenkwam.

Toen de deur weer achter hem op slot werd gedaan, zei hij: 'Ik zag Kelly op de gang. Ze moet de cel in.'

'Waarom?' vroeg ik geschrokken.

'Ze had een grote mond, meer niet. Ik denk dat ze haar een lesje willen leren.'

We zaten zeker nog zo'n anderhalf uur in dat kamertje te wachten voordat ik aan de beurt was. Mijn verhoor werd door een oudere man afgenomen in een klein kamertje. Tot mijn verbazing was het best een vriendelijke man. Hij vroeg wie ik was, wat ik deed en wat ik van het incident had gezien. En of ik de jongen kende die het had gedaan. Ik vertelde dat die jongen een vriend van Mike was, en dat dat het enige was wat ik wist.

'Dus jij bent het vriendinnetje van Mike,' zei hij.

Ik knikte.

'Dan weet ik genoeg.' Ik zag medeleven in zijn ogen terwijl hij dat zei.

'Hij heeft zijn leven gebeterd,' zei ik verdedigend.

'Zijn leven gebeterd? Meisje toch! Als dat zo was, had hij het contact met zijn vrienden wel verbroken. Moet je nu eens zien. Door een van zijn vrienden zit jij nu hier tegenover mij,' zei hij met nadruk.

Ik was er even stil van.

Nog geen twee minuten later werd de deur geopend. Kelly en de vriend kwamen binnen in gezelschap van een agente. Zij zei tegen mijn verhoorder: 'Hij heeft zichzelf aangegeven, de dames kunnen gaan.'

Pff, wat was ik blij. Ik wist niet hoe snel ik uit die kamer moest wegkomen. Desondanks bleef ik even in de deuropening staan. Ik keek om naar de man die me net had verhoord. Hij keek strak terug. Ik wist niet hoe snel ik mijn hoofd moest terugtrekken. Ik wist precies wat hij dacht. En het ergste was dat ik wist dat hij gelijk had.

Beneden bij de balie moesten we een aantal formulieren tekenen. Giel was er ook bij. Hij liep recht op ons af en vertelde dat hij in de struiken had gelegen, bij het bloemenkraampje, toen hij zag dat we werden meegenomen. Hij was toen snel naar Mike gegaan om te vragen wat hij moest doen. Giel had nog wat bekeuringen openstaan en durfde niet op het bureau te komen. Mike had toen ergens geld vandaan getoverd en de rekeningen betaald, zodat Giel zichzelf kon aangeven.

Het hele avontuur liep met een sisser af. De conclusie was zelfs dat de bestuurder van de auto fout was. Toen ik dat hoorde, baalde ik helemaal van dit ongewenste avontuur. Op de terugweg naar huis kon ik het verhoor niet uit mijn hoofd zetten. Nadat Mike thuis was gekomen, was ik de kinderbescherming even helemaal vergeten. Maar ze zouden een oplossing voor me gaan zoeken. En ook als Mike echt veranderd was, bleef het toch het beste om bij hem weg te gaan.

Er volgde een rustige week. Mike was superlief voor me en ik genoot van de aandacht. Als ik erg veel honger had, ging ik even naar mijn moeder om daar wat te eten. Ze informeerde dan hoe het met me ging. 'Als ik wat van de kinderbescherming hoor, laat ik het je meteen weten,' verzekerde ze me elke keer. Ze vond het lang duren.

Ik betrapte mezelf erop dat ik het eigenlijk helemaal niet erg vond dat het zo lang duurde. Het was heerlijk om bij Mike te zijn, nu hij zo veranderd was. Ik liet dat natuurlijk niet aan mijn moeder merken, want dan zou ze zeker boos worden.

Ook vandaag was ik even bij haar geweest. Het was weer hetzelfde verhaal: de kinderbescherming had nog niks laten horen. Ze had een nieuwe spijkerbroek voor me gekocht en een paar nieuwe schoenen. 'Die heb je echt nodig,' had ze gezegd. 'Je loopt steeds in dezelfde kleren als je hier bent.' Ik was er hartstikke blij mee en fietste in mijn nieuwe outfit naar huis.

Opgetogen liep ik naar binnen, waar Barbara en Job samen met Mike op de bank zaten. Vrolijk begroette ik ze. Mike nam me van top tot teen op. 'Hoe kom je aan die kleren?' vroeg hij.

'Vind je ze niet mooi? Ik heb ze van mijn moeder gekregen.'

'Wat een onzin,' zei hij. 'Ik zou toch voor je zorgen?'

'Ben je nu beledigd?' vroeg Barbara honend.

'Nou, nee, niet echt, maar ik vind het onzin,' mompelde Mike.

'Kom op, Mike,' zei Barbara op boze toon, 'je stelt je aan. Je hebt geen rooie cent. Hoe kun je nou voor haar zorgen?'

Op dat moment ging de schuifpui open. Het was Kelly. 'Hoi,' zei ze vrolijk.

Niemand reageerde.

'Alles goed hier?' vroeg ze.

'Ja hoor,' zei ik.

'Hé, heb je nieuwe kleren? Staat je goed,' zei ze enthousiast.

Ik durfde niet naar Mike te kijken. Barbara vond de situatie blijkbaar grappig, want ze begon keihard te lachen.

'Wil je koffie?' vroeg Mike aan Kelly.

'Ja, lekker!' zei Kelly en ze plofte op de bank.

'In de keuken staat een pot,' zei Mike, 'pak het zelf maar even. Ik moet even boven iets doen.' Hij stond op, pakte me bij mijn hand en trok me overeind. Verbaasd stond ik op. Terwijl hij me meenam naar boven, keek ik nog even achterom naar Barbara, Job en Kelly. Aan hun gezichten te zien waren zij ook verrast. Alleen Barbara scheen te snappen wat de bedoeling was en riep: 'Veel plezier!'

Boven in de slaapkamer duwde Mike me zachtjes op bed. Onzeker over wat er komen ging, keek ik hem aan. 'Kleed je uit,' beval hij me op dwingende toon terwijl hij zijn broek opendeed.

'Hoezo, "kleed je uit"?' vroeg ik verbaasd.

'Je bent toch niet dom!' snauwde Mike. 'Je snapt toch wel wat ik nu wil?'

'Ja, ik weet wel wat je wilt, maar ik snap niet waarom nu.'

Mike kwam naast me liggen. Terwijl hij me uitkleedde zei hij heel zachtjes: 'Vanavond mag je met Barbara en Ron een avondje uit. Je hebt het nodig. Even een beetje alles van je afzetten. Het is best zwaar voor je geweest in de periode dat ik vastzat. Ik wil je trakteren op een avondje uit. Alleen kan ik niet mee vanavond. Ik zal je hartstikke missen.'

Hij kuste me zachtjes op mijn mond. Hij dwaalde af naar mijn hals. Een warm gevoel overspoelde me. Eigenlijk vond ik het wel lief dat hij me een avond uit gunde. Ik wist dat vrijen een manier van Mike was om me duidelijk te maken hoeveel hij om me gaf. Dus ik vergat mijn verbazing en deed met hem mee.

Ik lag nog na te denken over wat zich net had afgespeeld, toen Mike het bad voor mij liet vollopen. 'Ga je maar lekker opfrissen voor vanavond,' zei hij.

Het bad was heerlijk. Beneden hoorde ik af en toe Barbara tegen Mike schreeuwen, maar ik kon niet horen waar het over ging. Het maakte me ook niet uit, ik lag lekker in bad.

Toen ik aangekleed was ging ik naar beneden. Het rook heerlijk naar Chinees. 'Job heeft getrakteerd,' zei Kelly nadrukkelijk.

'Lekker! Ga je vanavond ook mee uit?' vroeg ik haar.

Ze ontweek mijn blik en gaf geen antwoord. 'Eh, er zijn niet genoeg borden,' zei ze in plaats daarvan. 'Help je me even?'

Ik liep met haar mee naar de keuken en haalde een paar borden uit de kast.

'Merel, ik mag niks zeggen van Mike, maar je moet vanavond niet meegaan,' zei ze zachtjes in mijn oor.

'Waarom niet?' fluisterde ik terug.

'Als ik jou was, zou ik zeggen dat ik ziek was,' ging ze verder. 'Je moet kost wat kost niet meegaan vanavond. Meer kan ik je niet zeggen.'

'Kom op, Kelly,' zei ik iets te luid.

'Sst, zachtjes, straks hoort Mike het nog.'

'Wat mag Mike niet horen dan?' drong ik aan.

Kelly pakte boos de borden uit mijn hand. Ze keek me strak aan. 'Kom op, Merel, denk na! Barbara heeft al de hele avond ruzie met Mike over jullie avondje uit. Geloof mij nou, het is geen zuivere koffie.' Met die woorden liep ze de keuken uit.

Ik haalde mijn schouders op. Ze zal wel jaloers zijn, hield ik mezelf voor.

Tijdens het eten zeiden Kelly en ik geen woord tegen elkaar. Het zou toch niet zo zijn dat we nu ineens ruzie met elkaar zouden krijgen om een avondje uit met Barbara en Ron? Zo kende ik Kelly helemaal niet.

Na het eten ruimde ik de keuken op en waste de borden af. Kelly kwam de keuken in. Ik bleef naar de afwas staren. 'Heb je al iets besloten?' vroeg ze me.

Ik gaf geen antwoord.

'Merel, doe niet zo stom.'

'Hoezo stom? Je bent gewoon jaloers.' Ik was nu ook boos.

'Merel, het is echt niet normaal wat Mike van plan is vanavond,' schreeuwde ze.

Ik schrok van haar geschreeuw, en Mike blijkbaar ook, want hij kwam de keuken in.

'Zijn er problemen?'

Ik zei niets en bleef naar mijn afwas kijken.

Ook Kelly hield haar mond. Ze bleef me aankijken. 'Nee, geen problemen,' zei Kelly. 'Ik ga naar huis.' Ze draaide zich om en liep de keuken uit. Mike ging ook weg.

De tranen prikten in mijn ogen. Ik snapte niet waarom Kelly zo fel was. Dit voorval zou mijn avond niet verpesten, nam ik me voor.

Toen ik de afwas bijna had weggezet, kwam Mike de keuken weer in. 'Ben je er klaar voor?' vroeg hij.

'Ja, ik denk het wel,' antwoordde ik.

'Mooi. Geef me een kus, Barbara en Ron zitten al in de auto te wachten.'

Ik gaf Mike een kus, liep naar buiten en stapte bij ze in de auto. De lucht was zwaar van Barbara's parfum.

Terwijl we de stad uit reden, dacht ik aan Kelly. Het zat me echt niet lekker. Tegelijkertijd vond ik het hartstikke spannend om een avondje weg te kunnen. Alleen jammer dat Mike niet mee kon.

Na een half uurtje rijden naderden we in een andere stad een druk straatje. Ron stopte op de hoek van de straat. 'Kom, Merel,' zei Barbara toen ze uitstapte, 'hier moeten we eruit.'

Ik stapte uit de auto en Ron reed meteen weg.

'Gaat Ron even de auto parkeren?' vroeg ik.

Barbara pakte me bij mijn elleboog en trok me mee. 'Moet je luisteren,' zei ze terwijl ze flinke passen nam, 'ik heb de hele avond ruzie gehad met Mike hierover. Ik wil het niet, maar hij staat erop.'

Ik rukte me los en bleef staan. 'Wat bedoel je nou?'

Barbara zuchtte en pakte me weer bij mijn elleboog. 'Laat maar,' zei ze. 'Ik leg het je straks wel uit.'

We liepen het drukke straatje in. Het was een lange straat met heel veel lampen boven de ramen. Er liepen alleen maar mannen. Het zag er best gezellig uit. Vanuit mijn ooghoek zag ik een schim achter een raam zitten. Ineens besefte ik waar ik was. Ik bleef stokstijf staan. Barbara's hand schoot los van mijn elleboog en ze keek verbaasd om.

'Wat nu weer?' vroeg ze geïrriteerd.

'Waar zijn we?' vroeg ik, maar ik gaf haar geen tijd om mijn vraag te beantwoorden. 'We zijn hier op jouw werkplek!' schreeuwde ik haar toe.

De voorbijgangers bleven staan om naar ons te kijken.

'Sst,' suste Barbara, 'ga nou geen scène maken hier op straat. Hier, nog twee ramen verder en we kunnen naar binnen.' Weer pakte ze me bij mijn elleboog. Maar nu rukte ik me los.

'Ik kan zelf wel lopen, hoor!' snauwde ik.

Het leek me inderdaad veiliger om ergens naar binnen te gaan.

Barbara draaide het slot open van een deur naast een raam waarvan de verlichting niet aan was. We liepen een lange gang in. Ik bleef staan toen ze de deur achter ons dichtdeed.

Barbara duwde zachtjes in mijn rug. 'Kom op, doorlopen, ik zal je alles uitleggen.'

Ik nam de lange gang in me op. Meteen rechts was een deur. Een paar meter verderop, ook aan de rechterkant, was de volgende deur.

'Hier, de eerste deur rechts moeten we hebben,' zei Barbara.

Ik liep de deur door en kwam in een kamertje terecht. In het midden stond een tafeltje met twee stoelen. Aan de rechterkant hing een groot donker gordijn voor het raam. Voor het gordijn was een soort podiumpje met een stoel. Aan de linkerkant hing ook een gordijn. Dat gordijn was opengeschoven. Erachter was een klein kamertje met een bed en een wastafel.

Ik ging op een van de stoelen aan het tafeltje zitten.

Barbara gooide haar tas op de andere stoel en begon nerveus rond te lopen. 'Moet je luisteren, Merel,' begon ze. 'Ik heb er echt alles aan gedaan vanavond om Mike ervan te overtuigen dat dit geen goed plan is.'

'Welk plan?' viel ik haar in de rede.

'Laat me even uitpraten,' zei ze rustig. 'Mike wil dat ik je het vak ga leren, maar daar ben je veel te jong voor. Hij wil niet luisteren. Volgens hem komt er niet genoeg geld binnen om jullie samen te kunnen onderhouden. De enige oplossing voor dat probleem is, volgens hem, om jou achter het raam te zetten.'

Mijn maag draaide om. Ik kon niet geloven dat Mike me dit zou aandoen. 'Het zal Rons idee wel geweest zijn. Mike zou dit nooit hebben gewild,' zei ik verdedigend.

'Ron heeft, net als ik, Mike nog de hele avond ervan proberen te overtuigen dat dit echt niet kan,' zei Barbara. 'Je bent veel te jong. Ron wil hier niks mee te maken hebben. Normaal brengt hij me naar mijn kamer en wacht hij in het achterste kamertje tot ik klaar ben. Nu is hij weggegaan en komt hij ons straks samen met Mike ophalen.'

'Je denkt toch zeker niet dat ik dit ga doen, hè?' zei ik. Ik stond te trillen op mijn benen.

Even was ze stil. Ze haalde met een zucht iets uit haar jaszak. 'Hier, dit moest ik van Mike aan je laten zien.' Ze hield haar gesloten hand voor zich uit. Toen ze hem opende, kreeg ik een heel heet hoofd. Mijn oren suisden en mijn hart klopte op volle toeren. Ik begon te huilen. In haar hand had ze het knopje van de autoradio van mijn moeder.

'Het is menens, hè?' zei Barbara zacht.

Ik kon niks meer zeggen, mijn hele lijf schudde van het huilen. Barbara keek me vol medelijden aan.

Ik veegde de tranen weg. 'Het moet maar gebeuren,' probeerde ik stoer te zeggen. 'Vertel maar wat ik moet doen.'

Barbara stond op en pakte haar tas. 'Kom maar mee, ik zal je jouw kamer laten zien.' We liepen de deur door naar de gang. 'Het achterste kamertje is voor jou,' zei ze.

We openden de deur van wat mijn kamertje moest worden en kwamen terecht in een kleine, muffe ruimte. In de kamer stonden een wastafel, een bed en een stoel. Op de stoel legde Barbara haar tas neer. Terwijl ze er kleding uithaalde zei ze: 'Deze kun je van mij lenen. Die moet je aantrekken en dan bij mij voor het raam komen zitten. Ik zal er nog een stoel bij zetten.'

Ze legde de kleren op het bed. Als verdoofd keek ik ernaar.

'Bij de wastafel staan spullen om je op te frissen,' zei ze terwijl ze wegging. Even hield ze stil bij de deur. 'O ja, Mike heeft gezegd dat je niet mag zoenen, en je moet een condoom gebruiken. Hij wil ook dat je niet minder dan vijfendertig gulden vraagt.' Ze draaide zich om en verliet de kamer.

Ik begon te kokhalzen. Bij het wastafeltje stond een glaasje water. Ik nam wat slokken in de hoop dat het misselijke gevoel zou zakken. Weer prikten de tranen in mijn ogen. Mike had me in zijn greep. Ik kon niks anders doen dan wat hij wilde. Er was niemand meer die me kon hel-

pen. Ik besloot me te vermannen en de kleren aan te trekken.

Niet veel later werd er op de deur geklopt. 'Ben je klaar?'
hoorde ik Barbara vragen.

'Ja, ik kom eraan.' Samen liepen we terug naar haar kamertje. Daar zag ik dat het gordijn open was, en dat er nu
twee stoelen op het podium stonden. Ik nam plaats op een
van de stoelen. Het podium werd verlicht door een felle
blacklightlamp. Barbara ging naast me op de andere stoel
zitten.

Ik keek toe hoe de mannen voorbijliepen. Als een van hen
stilhield om naar ons te kijken, draaide ik gauw mijn hoofd
weg. Barbara onderhandelde dan met ze over de prijs.
Maar ze werden het telkens niet eens, dus liepen de mannen weer door.

Weer kwam er een man voorbij die stilhield bij ons raam.
Ik draaide mijn gezicht weg. Met ingehouden adem wachtte ik af wat er ging gebeuren. 'Hij wil jou,' zei Barbara. Ik
durfde niet te kijken. 'Wacht, ik onderhandel wel voor je,'
zei ze. Ik hield mijn adem in en hoopte dat het ze niet zou
lukken om een prijs af te spreken.

'Vijftig gulden is goed,' hoorde ik Barbara zeggen. 'Hier,
je kunt je eerste vijftig gulden verdienen,' zei ze zachtjes tegen me. Ze drukte op een knop onder het raam. Een zoe-
mer ging af en ik hoorde op de gang de deur opengaan.

'Kom op, meid, doe je best. Loop naar hem toe en breng
hem naar je kamer. De rest weet je wel,' zei ze dwingend.

Als verdoofd stond ik op en ik liep naar de hal om de
man op te halen.

Een magere man stond in de gang op me te wachten. Hij

zag er verzorgd uit en lachte vriendelijk naar me. Ik draaide mijn rug naar hem toe en zei: 'Kom maar mee.' In stilte liepen we naar mijn kamertje.

Binnen ging ik op het bed zitten. Ik vocht tegen mijn tranen. De man nam plaats op de stoel en keek me doordringend aan. Ik wist niet wat ik moest doen. 'Eh, je mag me niet zoenen en je moet een condoom gebruiken,' zei ik maar gauw.

De man keek me verbaasd aan. 'Wie heeft die regels verzonnen?' vroeg hij.

'Mijn vriend,' zei ik krachtig.

De man stond op uit zijn stoel, liep naar mij toe en bleef naast het bed stilstaan. Hij boog zijn hoofd naar me toe en keek me doordringend aan. 'Hoe oud ben je?' vroeg hij zacht.

'Achttien,' verzon ik.

Weer nam hij me van top tot teen op. Hij haalde zijn portemonnee uit zijn zak. Gespannen keek ik toe. Hij haalde er een briefje van vijfentwintig en eentje van tien gulden uit en deed zijn portemonnee weer in zijn zak. Die vijfendertig gulden gooide hij bij mijn voeten neer op bed.

'Ik geloof er niks van. Je bent hartstikke minderjarig. Ik heb geen zin om daar problemen mee te krijgen. Geef dat geld maar aan je vriend, dan doe je maar net of je het hebt verdiend.' En met die woorden vertrok hij.

Verbaasd bleef ik op bed zitten staren naar de vijfendertig gulden. Op de achtergrond hoorde ik de deur sluiten. Tegelijkertijd hoorde ik de deur van Barbara's kamer opengaan. Haar voetstappen kwamen steeds dichterbij. Snel stopte ik het geld in mijn schoen.

'Wat is er gebeurd?' hoorde ik Barbara aan de andere kant van de deur vragen.

Ik deed de deur open. 'Hij geloofde niet dat ik achttien was. Hij wou geen problemen, dus is hij vertrokken.'

'Heeft hij je wel betaald?' vroeg Barbara snel.

'Nee, we hebben helemaal niks gedaan,' zei ik stoer.

Verbaasd keek Barbara me aan. 'Nou ja. Kom, dan gaan we weer naar voren, nieuwe klanten lokken.'

Weer zat ik op de stoel, en weer bleven mannen staan om me te bekijken. Bij elke man die bleef staan, draaide mijn maag zich tien keer om van de spanning. Zou hij doorlopen? Mijn afkeer was blijkbaar zichtbaar, want elke keer liepen ze verder.

Barbara zuchtte. 'Dit werkt zo niet,' zei ze vermoeid. 'Je jaagt zelfs de klanten bij mij weg. Weet je wat? Ga hier maar in het hoekje naast het podium zitten, dan ziet niemand je.'

'Wat moet ik Mike dan vertellen, als ik met lege handen thuiskom?' vroeg ik bezorgd.

'Ik werk wel voor ons tweeën, en dan delen we de opbrengst. We zeggen gewoon dat het een rustige avond is geweest. Ik kan je alleen vanavond op deze manier helpen. Morgen zul je het toch weer moeten proberen,' zei ze.

Ik stond op en gaf haar een zoen op de wang. 'Je bent een schat,' zei ik. 'En ik zal Mike er vanavond van overtuigen dat dit echt niks voor mij is.'

'Dat zal niet meevallen,' zei ze. 'Vraag me niet waarom, maar ergens heb ik een zwak voor je. Ik zal je helpen waar ik kan. Je bent een goed meisje. Je verdient beter. Maar meer dan dit kan ik echt niet voor je doen.'

Met een opgeluchte glimlach verstopte ik me in het hoekje. Er viel een last van me af.

Barbara kreeg het druk. De ene na de andere man kwam binnen. Rond een uur of twaalf had ze er genoeg van en deed ze het gordijn dicht. Ze had vierhonderd gulden verdiend. Er ging tweehonderd gulden vanaf voor de huur van de kamers. De rest verdeelde ze tussen ons.

'Hou je aan ons verhaal, dan zal Mike in ieder geval tevreden zijn voor vanavond. Drink morgen maar wat alcohol, dan zal het allemaal wat makkelijker gaan,' zei ze.

'Morgen ga ik niet meer,' zei ik vastbesloten. 'Als Mike vanavond slaapt, ga ik weg. Ik weet nog niet waarheen, maar weg ga ik.'

'Ik hoop voor je dat het lukt,' zei Barbara. Ze leek er niet gerust op.

Een half uurtje later kwamen Ron en Mike ons halen. Buiten sloeg Mike een arm om me heen.

'En, hoe is het gegaan?' vroeg hij belangstellend.

Ik keek hem vol walging aan.

'Kom op, meisje,' zei hij. 'Je snapt toch wel dat dit net zo moeilijk voor mij is als voor jou? Ik moet jou nu delen met al die andere mannen. Dat is voor mij ook niet prettig. We hebben gewoon geld nodig. Na alles wat ik heb gedaan voor jou, kun je nu mooi iets terugdoen.'

Ik gaf geen antwoord. Misschien had hij wel gelijk. Misschien was het voor hem inderdaad net zo moeilijk als voor mij.

Thuis vroeg Mike me om het geld. Ik haalde de honderd gulden uit mijn zak, en gaf het aan hem. De vijfendertig gulden hield ik in mijn schoen.

'Is dit alles?' vroeg Mike verbaasd.

'Ja, het was een slechte avond, zei Barbara. We moeten nog blij zijn dat we dit hebben.'

Hij stak het geld in zijn broekzak. 'Nou ja, morgen weer een dag,' zei hij.

'Morgen ga ik niet,' zei ik zachtjes. 'Je kunt hoog en laag springen, maar ik ga nooit meer terug.'

Mike keek me met grote ogen aan. Voor ik besefte wat er gebeurde, haalde hij uit naar mijn gezicht. Het deed ongelooflijk zeer, maar ik wilde me niet laten kennen.

Uitdagend keek ik hem aan. 'Je kunt zo hard slaan als je wilt, het doet me toch niks!' schreeuwde ik hem toe.

Hij pakte me bij mijn haren en trok me tegen de grond. Ik krijste van de pijn. Maar Mike ging door en trok me de gang in. Met mijn handen probeerde ik zijn greep op mijn haren los te maken, maar dat lukte niet.

Mike deed de deur naar de kelder open. Met een harde duw gooide hij me naar binnen. Ik viel van de trap en kwam hard op de vochtige grond terecht. Daar bleef ik stil liggen.

'Je zal me smeken om te mogen gaan werken!' schreeuwde Mike me boven aan de trap toe. Hij deed de deur op slot.

Het liefst wilde ik huilen, maar dat lukte niet. Ik voelde hoe ik me afsloot van mijn eigen gevoelens.

Ik wist dat ik deze nacht in de kelder zou doorbrengen. Ook werd me eindelijk duidelijk dat Mike niets meer om me gaf, tenminste niet meer zoals ik zou hebben gewild.

Ik denk dat ik maar een paar uurtjes had gedommeld toen ik de deur hoorde opengaan. Ik keek omhoog en zag Mike in de deuropening staan.

'Heb je al besloten dat je vanavond gaat?' vroeg hij op arrogante toon.

'Nee, ik ga nooit meer terug, dat had ik toch al gezegd,' snauwde ik.

'Oké, dan moet je het zelf weten. Je krijgt geen eten en drinken meer van me zolang je hier beneden zit. Je kunt eruit komen als je je bedacht hebt!' Hij deed de deur weer achter zich dicht.

Ik keek rond om te zien of er iets te drinken stond. Maar helaas was er in de kelder alleen gereedschap opgeslagen.

Ineens herinnerde ik me het briefje dat ik had verstopt. Het briefje van een van Mikes vrienden, waar hij destijds zijn telefoonnummer op had geschreven voor het geval er ooit iets zou zijn. Ik moest even goed nadenken voor ik wist waar ik het ook al weer had gelaten. Onder aan de poot van de trap! En ja hoor, daar zat het nog steeds verstopt. Ik pakte het papiertje en stopte het bij de vijfendertig gulden in mijn schoen. Ik herinnerde me hoe verbaasd ik geweest was toen de jongen het me gaf. Misschien kwam het nu toch nog van pas.

Ik ging weer op de grond zitten wachten, al wist ik niet waarop. Het was muisstil in huis. Ik had geen idee of Mike er nog was. Het kwam niet eens in me op om te kijken of de deur van de kelder wel op slot was. Ik kon me beter een paar klappen besparen.

Ik lag waarschijnlijk al een paar uur te slapen toen ik gewekt werd door stemmen op de gang. Ik liep de trap op en legde mijn oor tegen de deur. Zo te horen waren het Mike en Kelly. Gespannen duwde ik mijn oor nog harder tegen de deur om maar niets van hun gesprek te missen.

'Hoe bedoel je, "Merel is er niet meer"?' hoorde ik Kelly vragen.

'Ze is bij me weggegaan,' zei Mike rustig.

'Dat geloof ik niet,' zei Kelly. 'Ze zou nooit weggaan zonder het tegen me te zeggen.'

'Ik snap het ook niet,' antwoordde Mike. 'Ze was gisteren zo boos op me. Ze haatte me, omdat ik haar achter het raam wilde zetten. Ze werd helemaal hysterisch, volgens Barbara. Ze is kwaad weggerend. We hebben de hele nacht gezocht, maar hebben haar niet kunnen vinden. Ik hoop dat ze snel iets van zich laat horen, maar dat betwijfel ik. Ik ben ook hartstikke stom geweest. Nu ben ik bang dat ik haar voorgoed kwijt ben.'

Even was het stil.

'Sorry, hoor,' zei Kelly, 'maar je bent zeker stom geweest. Je moet haar gaan zoeken. Wie weet hangt ze nog ergens alleen rond en kan ze niet naar huis komen.'

'Ja, je hebt gelijk,' zei Mike. 'Als jij nu naar huis gaat;

misschien belt ze wel naar jou. Ik ga Job en Barbara vragen of ze mee gaan zoeken.'

Ze liepen de gang uit. Het werd stil.

Het bleef heel lang stil in huis. Ik had een ontzettende dorst en mijn maag rammelde harder dan ooit tevoren. Mike hield zich aan zijn woord: ik zou niks te eten of te drinken van hem krijgen. Angst duwde mijn honger en dorst nu naar de achtergrond. Het leek wel of iedereen van de aardbodem verdwenen was. Kelly zat trouw thuis op mij te wachten, in de waan dat Mike me aan het zoeken was.

Had ik gisteren maar naar haar geluisterd, dan zat ik nu niet hier. Nu kon ze me niet meer helpen. Maar ik wist niet beter dan dat ik een avondje uit ging. Ik had nooit gedacht dat Mike zoiets van plan zou zijn.

De stilte werd verbroken door gestommel van iemand in huis. Misschien was het Kelly wel.

Ik sprong overeind, liep de trap op, en bonsde zo hard ik kon op de deur. 'Laat me eruit!' Ik schreeuwde mijn longen bijna uit mijn lijf.

De deur werd van het slot gehaald en ging open. Mike stond in de deuropening. Streng keek hij me aan.

'Mag ik wat water?' vroeg ik zachtjes.

'Je weet wat je ervoor moet doen!'

Ik liet mijn hoofd hangen. Het had toch geen zin om ertegen in te gaan. 'Ja, ik weet het, en ik zal het doen,' zei ik zachtjes.

'Grote meid,' zei Mike grijnzend. 'Kom er maar uit dan.'

Ik vloog langs hem heen en in de keuken dronk ik achter elkaar twee glazen water. Mike stond vanuit de deuropening grijnzend naar me te kijken.

'Ik ga me boven even opfrissen,' zei ik en liep hem voorbij. Toen ik boven was, schreeuwde ik naar beneden dat hij me maar moest roepen als het tijd was om te gaan. Mike antwoordde niet. In plaats van me op te frissen, ging ik op bed liggen. Ik kon alleen nog maar huilen. Ik zag geen uitweg meer. Ik zou vanavond weer achter het raam moeten zitten.

Ik wist niet hoe lang ik op bed had gelegen. Buiten klonk het getoeter van een auto. Dat zal Ron wel zijn, dacht ik. Door het raam kon ik inderdaad de auto van Ron zien staan. Ik zuchtte. Nu gaat het gebeuren. Mike riep onder aan de trap dat het tijd was.

Ik rechtte mijn rug en liep naar beneden. Daar stond Mike me op te wachten. Hij pakte me bij de arm en kneep er hard in.

'Je weet het, hè? Niet weer met maar honderd gulden thuiskomen. Ik neem geen genoegen met minder dan tweehonderd,' zei hij.

Ik keek hem minachtend aan, maar zei niks en rukte me los. Met grote passen liep ik naar buiten en stapte bij Ron en Barbara in de auto. We reden weg en lieten Mike achter.

Onderweg vroeg Ron: 'Heb je goed naar Mike geluisterd?'

'Hoezo?'

'Hij wil dat je meer dan tweehonderd gulden meeneemt. Barbara gaat vanavond niet werken. Zij zal je de kneepjes van het vak leren en erop toezien dat je genoeg verdient.' Geschrokken keek ik ze aan. Ook Barbara en Ron waren niet meer te vertrouwen.

De rest van de reis zei ik niets meer. Mijn hoofd was leeg. Ook toen we aankwamen op de plek van bestemming, zeiden Barbara en ik geen woord tegen elkaar.

De kamer leek nu nog deprimerender dan gisteren. In mijn kamertje friste ik me op en legde de spullen klaar. Daarna ging ik op de stoel achter het raam zitten. Barbara zat achter me om alles in de gaten te houden.

Er verscheen een man voor het raam. Hij zag er heel onverzorgd uit. Hij vroeg met gebaren hoeveel geld ik wilde hebben.

'Vijftig gulden, hè?' fluisterde Barbara achter me. Ik stak mijn hand op. De man schudde zijn hoofd en liep weer verder. Ik was opgelucht, maar wist dat dit niet de enige potentiële klant zou zijn.

Veel mannen bleven voor het raam staan, bekeken me, en liepen weer verder.

'Je denkt dat dat in je voordeel is, dat die mannen doorlopen. Maar Mike pikt het niet, hoor. Je moet ze meer lokken,' fluisterde Barbara weer achter me. Ze had gelijk, ik schoot er niks mee op.

Mijn aandacht werd getrokken door een groepje jongens dat voor het raam bleef staan. Ook zij vroegen met gebaren hoeveel ik moest hebben. Weer stak ik mijn hand op. De jongens begonnen te lachen. Een van de jongens gebaarde dat ze met zijn allen wilden voor vijftig gulden. Ik schudde heel hard mijn hoofd.

'Je moet gaan onderhandelen,' fluisterde Barbara achter me. 'Zo kun je in één klap veel geld verdienen.'

'Ik ga niet met hen allemaal tegelijk de kamer in!' snauwde ik terug.

'Jawel! Je zult wel moeten! Als ze genoeg bieden, haal ik

ze gelijk naar binnen,' zei ze. Bij die gedachte draaide mijn maag om. Ik begon te kokhalzen.

Barbara vloog overeind en trok het gordijn dicht. 'Wat is er nou met je?' vroeg ze bezorgd.

'Ik heb nog niks gegeten vandaag en ben ontzettend misselijk,' antwoordde ik.

'Jeetje, Merel, had dat dan gezegd, dan hadden we op de heenweg wat te eten voor je kunnen halen,' zei ze vriendelijk. 'Weet je wat, ga even naar de snackbar op de hoek, dan werk ik wel even voor je. Zo kun je niet werken.' Ze haalde tien gulden uit haar portemonnee en gaf die aan mij.

Dankbaar nam ik het geld van haar aan, pakte mijn jas van de kapstok en stak het tientje in mijn zak. Zonder verder iets te zeggen liep ik naar buiten en trok de deur achter me dicht.

Op straat was het druk. Er liepen veel mannen rond. Op de hoek van de straat zag ik de snackbar. Ik trok de rits van mijn jas hoog op, om zo mijn gezicht in de kraag van de jas te verstoppen. Ik durfde niemand aan te kijken. Elke man die ik tegenkwam, voelde ik verlekkerd naar me kijken. Ik versnelde mijn pas om zo snel mogelijk bij de snackbar te komen.

Binnen kwam een vette geur me tegemoet. Ik keek even rond. Er waren geen andere klanten. Achter de balie stond een oudere man vriendelijk naar me te kijken. 'Kan ik je helpen?' vroeg hij.

'Eh, ja, eigenlijk wel,' antwoordde ik. 'Ik wil alleen nog even kijken wat ik wil.'

'Neem je tijd,' zei hij goedmoedig.

Terwijl ik naar al het lekkers keek, drong het tot me door

dat dit mijn kans zou kunnen zijn om te vluchten.

Achter me hoorde ik de deurbel rinkelen. Er kwam iemand binnen. Dat kwam mooi uit. Nu had ik nog langer de tijd om een plan te bedenken.

De persoon die net was binnengekomen kwam naast me staan. Automatisch keek ik opzij. Het was Ron! Boos keek hij me aan. 'Wat doe jij hier?' vroeg hij.

'Ik heb geld van Barbara gekregen. Ik had nog niks gegeten vandaag en sta te trillen op mijn benen,' legde ik met bevende stem uit. 'Ze vond het beter als ik eerst wat ging eten, anders zou ik mijn werk niet goed kunnen doen.'

'Zit ze nu alleen achter het raam?'

'Ja, ze werkt even voor mij tot ik terug ben, hoezo?'

'Dan ga ik nu meteen naar haar toe. Het is veel te gevaarlijk om haar zo alleen te laten zitten,' antwoordde hij streng. 'Zorg dat je over vijf minuten terug bent.'

Ron keek naar de man achter de balie. 'Zorg jij ervoor dat ze binnen vijf minuten klaar is?'

De man zei niks. Hij knikte alleen maar.

Ron draaide zich om. Hij griste het tientje uit mijn hand en stopte het in zijn zak. 'Laat het maar opschrijven,' beval hij me. 'Het lijkt me geen goed plan om jou geld te geven.'

Verdwaasd keek ik hem na. Waarom pakte hij dat geld nou van me af? Tijd om erover na te denken had ik niet, want de oude man was achter de vitrine vandaan gekomen en liep nu op me af. Bang keek ik hem aan. Ik had geen idee wat hij van plan was.

Hij sloeg een arm om me heen. 'Kom,' zei hij, 'ik breng je ergens naartoe. Van daaruit moet je het zelf doen.'

Verbaasd maar hoopvol keek ik hem aan.

Samen liepen we naar een gangetje achter in de zaak.

Daar riep hij naar iemand dat hij even weg was en zo terugkwam. Via de achterdeur verlieten we de snackbar.

Buiten was het donker. Er waren geen straatlantaarns. Ik kon niet zien waar we liepen, maar op een of andere manier vertrouwde ik deze man. Een andere keus had ik op dat moment toch niet. Ik had niets meer te verliezen. Toch was ik doodsbang dat we Ron zouden tegenkomen. Mijn hart bonkte in mijn keel toen we aankwamen op een klein pleintje. Even bleef de man staan. Gespannen keek hij rond. Ook ik keek rond, maar ik zag niemand.

'Zie je daar tussen die twee bomen die telefooncel?' vroeg hij heel zachtjes.

Ik keek waar hij heen wees, en zag de telefooncel die hij bedoelde. De man graaide in zijn broekzak en haalde er drie kwartjes uit. Hij pakte mijn hand vast en stopte ze erin.

'Bel een vriend die je kunt vertrouwen.'

Tranen sprongen in mijn ogen. 'Ik kan niemand vertrouwen,' zei ik zachtjes.

'Denk na!' zei hij dwingend en hij trok aan mijn arm. 'Denk goed na!'

Ik liet mijn hoofd zakken en keek naar de grond. Eindelijk had ik de kans om te vluchten en nou kon ik niets bedenken.

Ineens schoot me te binnen wat ik in mijn schoen had gestopt: de vijfendertig gulden van mijn eerste klant en het telefoonnummer van die jongen die ik altijd kon bellen als ik hulp nodig had. Ik haalde beide uit mijn schoen.

De man keek me doordringend aan. Ik bleef naar het papiertje staren.

'Je moet het nu zelf doen,' herhaalde hij zachtjes. 'Ik moet echt terug, meer kan ik niet voor je doen.' Hij gaf me een bemoedigend schouderklopje en liep weg. Trillend keek ik hem na. Ik wilde hem bedanken, maar er kwam geen geluid uit mijn keel. Mijn hart bonkte te hard en ik was buiten adem van de zenuwen. De man verdween in het donker.

Ik vouwde het papiertje open, gooide de kwartjes in de telefoon, nam de hoorn van de haak en toetste het nummer in. Gauw propte ik het papiertje weer in mijn schoen en wachtte gespannen af.

De telefoon ging over. Ik werd steeds nerveuzer naarmate de telefoon bleef overgaan. Zul je net zien dat er niemand thuis is! Bijna gaf ik de moed op.

'Hallo?' klonk het toen toch nog aan de andere kant van de lijn.

Op dat moment braken mijn tot het uiterste gespannen zenuwen. De tranen stroomden over mijn wangen.

'Hallo, is daar iemand?' klonk het weer.

Nauwelijks verstaanbaar stamelde ik door mijn tranen heen: 'Ik heb je hulp nodig.'

Even was het stil. 'Merel? Ben jij het?' klonk het toen verbaasd.

'Ik kan het niet alleen,' huilde ik zachtjes.

'Ik kom eraan!'

Epiloog

Zonder ergens naar te vragen heeft een broer van mijn vader mij in zijn gezin opgenomen. In afwachting van wat de kinderrechter zou beslissen, heb ik daar langzaam weer op krachten kunnen komen. Eten gaf de meeste problemen, mijn lichaam kwam tegen alle voedsel in opstand. Twee dagen lang heb ik spugend boven de wc gehangen, om daarna trillend weer op bed te gaan liggen. Langzaam maar zeker ging het beter.

Ik wilde heel graag een tweede kans op het internaat waar ik het zo fijn had gehad, maar daar stonden ze helemaal niet voor open. Gelukkig kon ik de kinderrechter ervan overtuigen dat ik alles wat met Mike te maken had achter me zou laten. Daarop heeft de directeur me nog één kans gegeven om aan mijn toekomst te werken, en werd ik weer teruggeplaatst op het internaat. Ik ben hem nog altijd dankbaar voor dat vertrouwen.

Ook met Kelly mocht ik niet meer omgaan. De kinderrechter had me goed duidelijk gemaakt dat als ik ook maar één keer contact met Mike zou opnemen, ik in een gesloten instelling zou belanden. Na een half jaar wilde ik weer eens proberen om een weekend met verlof naar huis te gaan. In de stad kwam ik Kelly tegen. Zij had ook gebroken met Mike en was naar een andere stad verhuisd. Ze vertelde dat Mike al snel een ander meisje had gevonden. We waren blij om elkaar weer te zien en tot op de dag van vandaag zijn we dikke vriendinnen.

Mike kwam ik ongeveer vijf jaar later onverwachts tegen in een friettent. We hebben elkaar niet aangekeken, maar ik herkende zijn stem. Met een bonkend hart ben ik, zonder achterom te kijken, snel vertrokken. Ik heb hem daarna nooit meer gezien.

Tot mijn achttiende heb ik onder toezicht gestaan van de kinderrechter. Mijn moeder heeft veel kritiek gehad vanwege het feit dat ze me overdroeg aan de kinderrechter. 'Ik doe het voor je toekomst,' zei ze altijd verdedigend. Ik ben haar daar heel dankbaar voor, want mijn toekomst is inderdaad goed uitgepakt, en nu is ze mijn maatje.

Na de nodige psychotherapie kon ik zeven jaar later weer openstaan voor de liefde, toen ik mijn man ontmoette. Nooit heeft hij naar de gebeurtenissen van toen gevraagd, ook niet nu mijn verhaal in boekvorm verschijnt. Hij hoeft het niet te lezen. 'Wat gebeurd is, is geweest,' zegt hij altijd. Ik ben hem daar dankbaar voor en heb veel bewondering voor hem. Wel moet ik leven met de woede en afkeer die ik voel als onbekende mannen naar me kijken; dat zal nooit meer weggaan. Het is niet anders.

'Je moet een boek schrijven, Merel, je kunt het!' zei een leraar op de binnenschool van het internaat tegen me toen alles voorbij was. Nu is het zover, en kan hij het niet meer meemaken. Rust zacht, lieve Rob!

Adressen van hulpverleningsinstanties en belangenorganisaties

Mocht je naar aanleiding van dit boek hulp of meer informatie nodig hebben, dan kun je contact opnemen met een van de volgende instanties.

De Kindertelefoon
Tel. 0800 0432 (elke dag van 14.00 tot 20.00 uur gratis bellen); voor mobiele bellers is het nummer 0900 0132

Advies- en Meldpunt Kindermishandeling (AMK), de centrale instantie voor het vragen van advies over of het melden van kindermishandeling.
Alle AMK's zijn bereikbaar via het landelijke telefoonnummer: 0900 123 123 0 (€ 0,05 per minuut).
Je wordt automatisch doorgeschakeld naar het AMK in je eigen regio.

Nederlands Jeugdinstituut/NJi
Postbus 19221
3501 DE Utrecht
Bezoekadres:
Catharijnesingel 47
3511 GC Utrecht
Tel. 030 230 63 44

Eerste lijn/Meldpunt Vrouwenopvang, bemiddelt, verwijst
en informeert vrouwen in een crisissituatie.
Tel. 020 611 60 22

Stichting Korrelatie
Tel. 0900 1450 (30 cpm), ma t/m vr 9.00 - 18.00
E-mail vraag@korrelatie.nl

Landelijk Expertisecentrum MOVISIE, expert in de aanpak
van huiselijk en seksueel geweld.
Winthontlaan 4-6, 3526 KV Utrecht
Postbus 19129, 3501 DC Utrecht
Tel. 030 789 20 00

Beauty & the Beast, een preventieproject voor meisjes
over relaties met vriendjes, opkomen voor jezelf en prostitutie. Informatie:
Beauty & the Beast, p/a adviesgroep, Jeugd en Jongeren
Tel. 030 233 13 13

Prostitutie Maatschappelijk Werk, biedt zowel praktische als psychosociale hulp aan prostituees of ex-prostituees in de regio Rotterdam.
E-mail: pmw@humanitas-rotterdam.nl
Tel. 010 22 11 715
Bereikbaar ma. t/m vr. 9.00 - 17.00

Pretty Woman, hulpverleningsproject voor minderjarige meisjes die het risico lopen in de prostitutie te belanden.
Tel. 030 231 71 00
prettywoman@stade.nl

Asja, opvanghuis voor meiden en jonge vrouwen die door dwang, uitbuiting en misleiding in de prostitutie zijn beland.
Tel. 0900 567 567 8

Protocol 13, een samenwerkingsovereenkomst met bindende afspraken tussen Bureau Jeugdzorg Utrecht, de Raad voor de Kinderbescherming en de Regiopolitie Utrecht, in het kader van hulpverlening en bescherming van tienerprostituees.
Protocol 13
Bureau Jeugdzorg Utrecht, afdeling Jeugdreclassering
Postbus 9076
3506 GB Utrecht
Tel. 030 250 02 50
www.bjzutrecht.nl

Stichting Stop Loverboys NU
Je staat niet meer alleen, wij denken met je mee!

Je voelt je alleen, je denkt dat het je eigen schuld is, je hebt heel veel schaamtegevoel, je weet het niet meer en je wilt dat het gaat stoppen. Bij ons kun je als slachtoffer je verhaal of gevoelens kwijt. Wil je praten over geheimen en nare ervaringen, dan kun je contact met ons opnemen zodat we naar je kunnen luisteren, je advies kunnen geven, je meer informatie kunnen verschaffen en je eventueel kunnen doorverwijzen. We kunnen je ook in contact brengen met andere slachtoffers. Je kunt reageren via de onderstaande websites, daar vind je lotgenoten die precies begrijpen wat er in je omgaat. Anoniem reageren is ook mogelijk.

www.stoploverboys.nu
www.stoploverboysnu.hyves.nl
0900-9999991